전면돌파

집배원 면접

전면돌파
집배원 면접

개정3판 1쇄 발행 2024년 01월 17일
개정4판 1쇄 발행 2024년 06월 05일

편 저 자 | 공무원시험연구소
발 행 처 | ㈜서원각
등록번호 | 1999-1A-107호
주 소 | 경기도 고양시 일산서구 덕산로 88-45(가좌동)
교재주문 | 031-923-2051
팩 스 | 031-923-3815
교재문의 | 카카오톡 플러스 친구[서원각]
홈페이지 | www.goseowon.com

▷ ISBN과 가격은 표지 뒷면에 있습니다.
▷ 파본은 구입하신 곳에서 교환해드립니다.

PREFACE

이 책의 머리말

집배원은 소포, 우편물들을 자신의 물건처럼 책임감을 가지고 정확하고 신속하게 고객에게 전달해야 합니다. 대부분 이른 아침부터 근무를 시작하며, 우편물을 배달할 때 날씨와 관계없이 항상 실외근무를 하기 때문에 힘든 점이 많을 수 있습니다.

집배 가방을 메고 걷거나 오르내리며 무거운 물건을 운반하는 일이 잦아 건강한 체력이 필요하고, 어떠한 기후조건에도 우편물을 배달할 수 있는 성실함과 인내, 신속하고 정확하게 우편물을 배달하기 위해 담당 관할 구역의 지리도 잘 파악하고 있어야 합니다.

따라서 집배원은 독립성, 정직성, 신뢰성, 자기통제 능력 등의 성격을 가진 사람들에게 적합한 직업이라 할 수 있습니다. 이러한 특징을 가진 집배원라는 것을 면접관에게 알리기 위해서는 알맞은 답변을 하는 것이 중요합니다.

면접 준비를 어디서부터 시작해야 하는지 막막하게 생각하고 있는 모든 수험생들을 위해 본서는 면접을 준비하기 전에 알아두면 좋은 정보들과 꼼꼼한 자료조사와 함께 자주 나오는 면접 질문에 답변을 수록하였습니다. 또한 2010~2023년까지 14개년 면접질문을 수록하여 집배원 면접에 대한 감을 익히는 것에 도움이 될 수 있도록 하였습니다.

면접을 준비하는 예비 집배원 분들을 위하여 다음과 같은 내용을 담았습니다.

1. 지원서 작성부터 면접까지 확인하고 연습할 수 있도록 담았습니다.
2. 우편 및 금융 서비스 등의 상식을 수록하여 면접에 대비할 수 있도록 하였습니다.
3. 집배원의 전반적인 업무와 관련 상식을 한눈에 볼 수 있도록 모았습니다.
4. 빈출 면접 질문과 답변을 참고하여 준비할 수 있습니다.
5. 현재까지 출제된 면접 기출문제를 확인하고 면접의 경향을 확인할 수 있습니다.

집배원 면접에 도전하는 모든 수험생들에게 합격의 영광이 이루어지도록 응원하겠습니다.

STRUCTURE

이책의 특징 및 구성

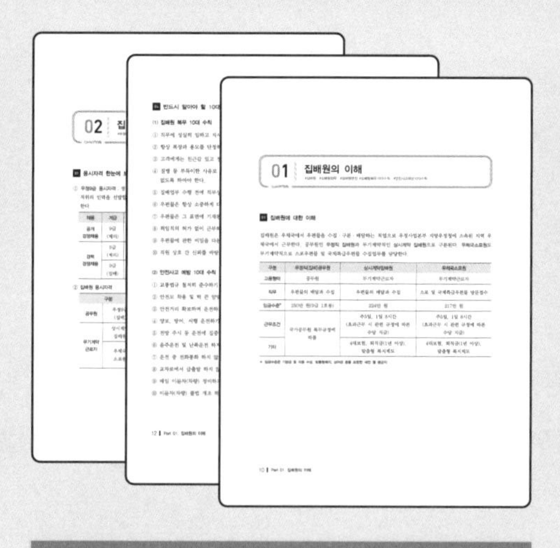

집배원 100% 이해하기!

집배원에 대한 상세한 정보를 수록하였다. 집배원의 업무, 반드시 알아야 하는 수칙, 채용 정보, 직무기술서 등을 수록하여 우정직 집배원, 상시계약 집배원, 우정실무원 등에 대한 정보를 담았다.

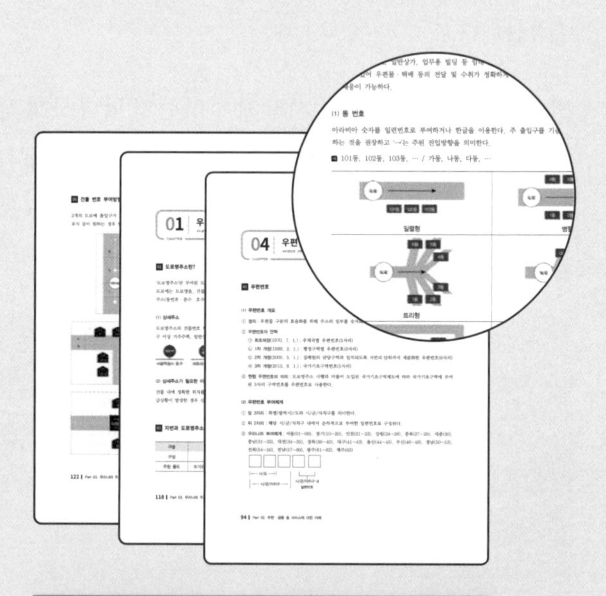

우리나라 주소체계

우리나라 주소체계를 상세하게 수록하였다. 또한 도로명주소 부여체계 및 시행 목적, 표지판 보는 방법 등을 수록하여 면접 답변을 할 때 도움이 될 수 있도록 하였다.

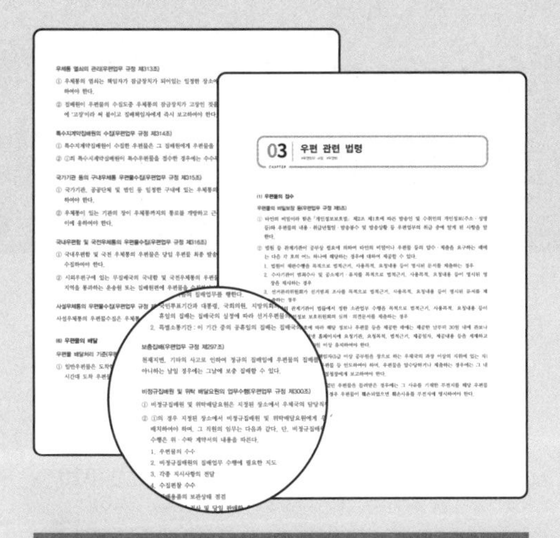

우편업무 규정 및 우편법 정리

면접에서 도움이 될 수 있는 규정과 법을 일부 수록하였다. 우편업무 규정과 우편법의 일부를 확인하여 담당하게 될 업무에 대한 이해를 높이고 정보를 파악하여 면접 답변에 도움이 되도록 하였다.

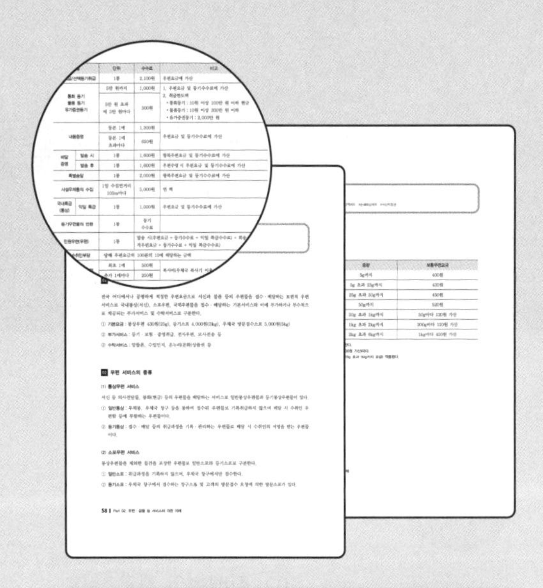

우편 및 금융 관련 서비스

시행되고 있는 우편 서비스, 국내우편, 국제우편 서비스를 정리하였다. 또한 우체국 예금, 우체국 보험과 관련된 금융 서비스를 정리하여 수록하였다.

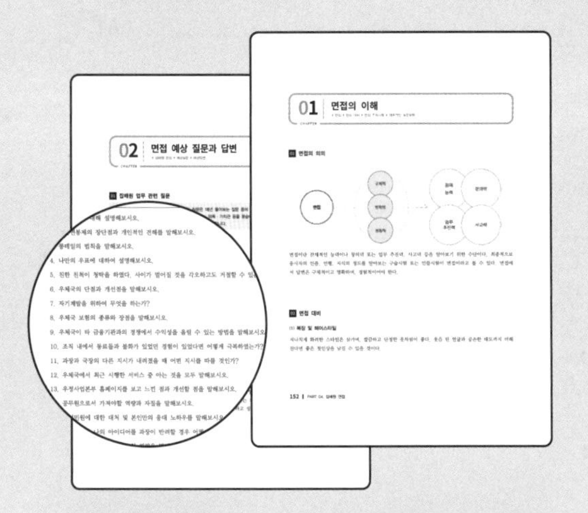

집배원 면접 기출

면접의 기본이론과 함께 집배원 면접 빈출질문에 대한 답변을 수록하고 면접을 유형별로 분석하였다. 또한 2023~2010년 기출질문을 정리하였다.

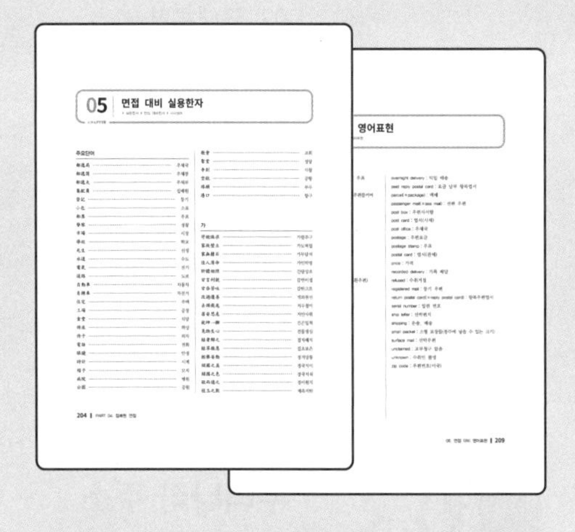

면접대비 실용한자 및 영어표현

면접에서 질문할 수 있는 지역별 실용한자와 함께 알아두면 유용한 영어표현을 수록하였다. 또한 우리나라 주소 영문/한문 표기법을 수록하였다.

CONTENTS

이 책 의 차 례

01 집배원의 이해

02 우편 · 금융 등 서비스에 대한 이해

03 우리나라 주소

04 집배원 면접

05 부록

1 집배원의 이해

2 집배원의 채용

3 우편 관련 법령

PART
01

집배원의 이해

01 CHAPTER 집배원의 이해

#집배원 #집배원업무 #집배원변천 #집배원복무10대수칙 #안전사고예방10대수칙

01 집배원에 대한 이해

집배원은 우체국에서 우편물을 수집 · 구분 · 배달하는 직업으로 우정사업본부 지방우정청에 소속된 지역 우체국에서 근무한다. 공무원인 **우정직 집배원**과 무기계약직인 **상시계약 집배원**으로 구분된다. **우체국소포원**도 무기계약직으로 소포우편물 및 국제특급우편물 수집업무를 담당한다.

구분	우정직(집배)공무원	상시계약집배원	우체국소포원
고용형태	공무원	무기계약근로자	무기계약근로자
직무	우편물의 배달과 수집	우편물의 배달과 수집	소포 및 국제특급우편물 방문접수
임금수준*	250만 원(9급 1호봉)	224만 원	217만 원
근무조건	국가공무원 복무규정에 따름	주5일, 1일 8시간 (초과근무 시 관련 규정에 따른 수당 지급)	주5일, 1일 8시간 (초과근무 시 관련 규정에 따른 수당 지급)
기타		4대보험, 퇴직금(1년 이상), 맞춤형 복지제도	4대보험, 퇴직금(1년 이상), 맞춤형 복지제도

※ 임금수준은 기본급 및 각종 수당, 맞춤형복지, 상여금 등을 포함한 세전 월 평균치

02 집배원 업무

① 우편물에 표시되어 있는 주소에 우편물을 전달하는 일을 한다.

② 우체통 안에 있는 우편물을 관할 구역 우체국에 전달하고, 배달할 우편물을 구역이나 배달 순서에 맞게 구분한다.

③ 표시된 주소지에 차량이나 오토바이로 정해진 순서에 맞게 전달하며, 등기 소포 등의 우편물은 직접 전달한 후 확인을 받는다.

④ 주소나 받는 사람이 불확실할 경우 전달하지 못한 우편물은 사유를 적어 사고우편물 처리원에게 인수인계한다.

03 집배원 변천

① 개화기를 타고 도입된 근대 우정은 집배원들의 수난과 인고의 애환 속에서 성장 발전했다.

② 당시 체전부라 불린 오늘날의 집배원은 완고한 양반들로부터 천시와 멸시 속에서 개화기의 기수역할을 해왔다.

③ 갑신정변 후 10여년 만에 우편이 재개 되었을 때만 해도 서울 장안에서 접수된 우편물은 보름동안 137통 정도였을 만큼 그 당시 널리 이용되지는 않았으나 차츰 우편의 편리함을 알게 되면서 이용량이 증대되었다.

④ 체전부는 체부 혹은 소중하다고 해서 체주사, 체대감이란 호칭으로 부르기도 했으며, 1967년 현대에 들어 집배원의 날 제정 후 집배원으로 불려지고 있다.

04 반드시 알아야 할 10대 수칙

(1) 집배원 복무 10대 수칙

① 직무에 성실히 임하고 지시사항을 준수하여야 한다.

② 항상 복장과 용모를 단정히 하고 공무원으로서 품위를 유지하여야 한다.

③ 고객에게는 친근감 있고 정중한 자세로 응대하여야 한다.

④ 질병 등 부득이한 사유로 출근하지 못할 때에는 가장 빠른 방법으로 연락하여 당일 복무배치에 지장이 없도록 하여야 한다.

⑤ 집배업무 수행 전에 직무상 필요한 장비 등을 점검하여야 한다.

⑥ 우편물은 항상 소중하게 다루며, 임의로 폐기하거나 유기 · 훼손 · 개봉 등을 하여서는 아니 된다.

⑦ 우편물은 그 표면에 기재된 주소에 배달하는 등 업무규정에 따라 수행하여야 한다.

⑧ 책임직의 허가 없이 근무하고 있는 곳을 떠나서는 아니 된다.

⑨ 우편물에 관한 비밀을 다른 사람에게 누설하여서는 아니 된다.

⑩ 직원 상호 간 신뢰를 바탕으로 밝은 직장 분위기를 조성한다.

(2) 안전사고 예방 10대 수칙

① 교통법규 철저히 준수하기

② 안전모 착용 및 턱 끈 알맞게 조이기

③ 안전거리 확보하며 운전하기

④ 양보, 방어, 서행 운전하기

⑤ 전방 주시 등 운전에 집중하기

⑥ 음주운전 및 난폭운전 하지 않기

⑦ 운전 중 전화통화 하지 않기

⑧ 교차로에서 급출발 하지 않기

⑨ 매일 이륜차(차량) 정비하기

⑩ 이륜차(차량) 불법 개조 하지 않기

02 집배원의 채용

CHAPTER

#우정9급 집배원 #상시계약 집배원 #우정실무원 #별정우체국집배원

01 응시자격 한눈에 보기

① 우정9급 응시자격 : 경력경쟁채용시험은 긴급하게 결원을 보충할 필요가 있거나 특수한 분야 또는 특정 직위의 인력을 선발할 필요가 있는 경우 실시한다. 우정9급(집배)는 경력경쟁채용시험을 통해서만 채용한다.

<table>
<tr><th>채용</th><th>계급</th><th>응시자격</th><th>직위(직무)</th><th>시행기관</th></tr>
<tr><td>공개
경쟁채용</td><td>9급
(계리)</td><td>18세 이상(학력 경력 제한 없음)</td><td rowspan="2">우체국금융업무 · 현업창구(회계)업무 · 현금수납 등 각종 계산관리업무 및 우편통계 관련업무</td><td>우정인재
개발원</td></tr>
<tr><td rowspan="2">경력
경쟁채용</td><td>9급
(계리)</td><td>자산관리사(한국금융연수원 주관)</td><td rowspan="2">지방우정청</td></tr>
<tr><td>9급
(집배)</td><td>제1 · 2종 보통운전면허와
제2종 소형면허 또는 원동기장치자전거면허</td><td>우편물의 배달과 수집</td></tr>
</table>

② 집배원 응시자격

<table>
<tr><th colspan="2">구분</th><th>응시자격</th><th>주요직무</th></tr>
<tr><td>공무원</td><td>우정9급
(집배)</td><td rowspan="2">① 제1종 또는 제2종 보통운전면허 소지자
② 제2종 소형면허 또는 원동기장치자전거면허 소지자
③ ① ~ ② 모두 충족해야 한다.</td><td rowspan="2">우편물의 배달과
수집</td></tr>
<tr><td rowspan="2">무기계약
근로자</td><td>상시계약
집배원</td></tr>
<tr><td>우체국
소포원</td><td>제1종 또는 제2종 보통운전면허를 소지하고 소포차량 (수동형 1톤 탑차) 운전이 가능한 자</td><td>소포우편물 및
국제특급우편물
방문접수</td></tr>
</table>

02 우정9급 집배원 채용

(1) 응시자격

① 공통사항

㉠ 국가공무원법 제33조(결격사유) 각 호의 결격사유 및 정년(60세)에 해당하지 않으며, 「공무원임용시험령」 등 관계법령에 의하여 응시자격을 정지당하지 아니한 자

㉡ **응시연령** : 18세 이상

㉢ **병역** : 남자의 경우 병역을 필하였거나 면제된 자 또는 최종(면접)시험 예정일 기준 6개월 이내 전역(소집해제)이 가능한 자

㉣ **국적** : 대한민국 국적 소지자(복수국적자의 경우 임용 전 외국국적을 포기하여야만 가능)

㉤ **학력** : 제한 없음

㉥ **지역제한** : 공고일 현재 주민등록상(해당지역) 거주자

② 장애인 구분 모집 응시대상자

㉠ 「장애인복지법 시행령」 제2조에 따른 장애인 및 「국가유공자 등 예우 및 지원에 관한 법률 시행령」 제14조 제3항에 따른 상이등급기준에 해당하는 자를 말한다.

㉡ 장애인 구분 모집에 응시하고자 하는 자는 응시원서접수 마감일 현재까지 장애인으로 유효하게 등록되어 있거나, 상이등급기준에 해당되는 자로서 유효하게 등록 · 결정되어 있어야 한다.

㉢ 장애인 구분모집 외의 일반 구분모집에 비장애인과 동일한 조건으로 응시가 가능하나 중복 접수는 할 수 없다.

㉣ 장애인 구분 모집 응시대상자의 증빙서류(장애인복지카드 또는 장애인등록증, 국가유공자증)는 서류전형 합격자 발표일에 안내하는 기간 내에 제출하여야 한다.

③ 응시자격요건

㉠ 제1종 또는 제2종 보통운전면허를 소지한 자

㉡ 제2종 소형면허 또는 원동기장치 자전거면허 소지자

㉢ ㉠과 ㉡의 자격요건을 모두 충족해야 한다.

(2) 우대요건

① **공통** : 우대요건 및 가산요건은 적극적 서류전형 단계에서만 적용되고 우대요건에 해당하는 경력의 계산, 자격 취득 기준일은 원서접수 마감일 기준으로 판단하며, 경력은 응시자격 요건을 모두 충족한 이후의 경력을 인정한다.

② **가산요건**(적극적 서류전형에 한함) : 한국사검정능력시험 6급 이상, 취업지원대상자

③ 세부사항

㉠ 관련분야 경력

- 우편물 배달, 수집 또는 소포(민간택배 포함) 업무 ※ 총 경력 1개월 이상에 대해 배점
- 단, 아래 경력은 우정직(집배) 업무와 유사한 경력으로 50%만 적용된 환산경력으로 인정된다.

–우체국소포원 · 특수지 집배원 경력 및 舊재택위탁배달원 이전 경력

–근거 : 우정사업본부 소속공무원 인사관리 규정

–소포업무 인정기준 : ① 소형의 ② 다양한 물품을 ③ 발송인(수탁자)과 택배업자가 일정한 계약(접수)을 통해 ④ 운송 등을 위해 포장을 하고 ⑤ 부착된 운송장(기표지)에 기재된 장소에서 ⑥ 다수의 수취인(수하인)에게 인도하는 행위

–소포업무가 아닌 특정물품의 배송업무, 퀵서비스, 대형마트 주문 · 배송 또는 내근직종의 근무경력 불인정

㉡ **無음주운전 경력** : 운전경력증명서 상 음주운전 경력이 없는 자 ※ 음주운전 경력(전체경력)을 확인(감점식)

㉢ **자격증** : 자동차정비기능장, 자동차정비기사, 자동차정비산업기사, 자동차정비기능사, 물류관리사, 유통관리사 3급 이상 ※ 유리한 자격 1개만 인정

(3) 채용절차 및 접수 유의사항

① 제1차 시험(서류전형)

㉠ 임용예정 직위의 자격요건에 적합한지 여부를 서면으로 심사하여 적격 또는 부적격을 판단한다.

㉡ 다만, 응시인원이 선발 예정인원의 3배수를 초과할 경우 적극적 서류전형 심사기준에 의해 3배수로 합격자를 결정한다.

㉢ 적극적 서류전형 평가항목에는 자기소개서, 직무수행계획서, 우대요건(관련분야 경력, 無 음주운전 경력, 자격증)이 있다.

㉣ 동점자 발생으로 서류전형 합격예정인원 초과 시 동점자 전원 합격 처리한다.

② 제2차 시험(면접시험)

㉠ 서류전형 합격자를 대상으로 면접을 통해 공무원으로서의 자세 및 태도, 해당 직무수행에 필요한 능력 및 적격성을 종합적으로 평가한다.

㉡ **평가방법** : 개별면접으로 공무원임용시험령 제5조의 제3항에 따른 4가지 평정요소에 대하여 '상', '중', '하'로 평가한다.

- **소통 · 공감** : 국민 등과 소통하고 공감하는 능력
- **헌신 · 열정** : 국가에 대한 헌신과 직무에 대한 열정적인 태도
- **창의 · 혁신** : 창의성과 혁신을 이끄는 능력
- **윤리 · 책임** : 공무원으로서의 윤리의식과 책임성

㉢ **최종합격자 결정 :** 불합격기준에 해당하지 아니하는 자 중에서 평정 성적이 우수한 자 순으로 합격자 결정한다.

㉣ **불합격 기준 :** 위원의 과반수가 평정요소 4개 항목 중 2개 항목 이상을 '하'로 평정하였거나, 위원의 과반수가 어느 하나의 동일한 평정요소에 대하여 '하'로 평정한 때에는 불합격이다.

③ **제출서류**

구분	서류목록	내용
필수서류	자기소개서	• 통합채용포털에서 직접 작성 • 2,000자 이내로 작성
	직무수행계획서	
	운전면허증(사본)	
	운전경력증명서	• 정부24에서 발급하여 전자지갑을 통해 제출 • 유의사항 – 공고일 이후 발급 – 면허취득일 이후 운전경력 전체현황을 확인가능토록 발급(교통사고 경력 조회기간 및 법규위반 경력 조회기간을 반드시 전체로 발급) – 「운전면허경력」란에 면허취득일자가 반드시 표기되도록 조회된 증명서 제출
	주민등록초본	• 정부24에서 발급하여 전자지갑을 통해 제출 • 유의사항 – 공고일 이후 발급 – 주소 변동 이력이 나타나도록 발급 – 남자의 경우 병역 사항 포함하여 발급(병역사항이 나타나지 않는 경우 병적증명서 추가 제출)
해당자에 한함	경력(재직)증명서	• 기관 · 회사에서 발급한 경력증명서 제출(사업장 폐업으로 경력증명서 발급이 불가한 경우 관련 경력을 입증할 수 있는 다른 서류로 보완해야 함) • 현재 근무 중인 경력은 공고일 이후 발급한 증명서 제출 • 외국기관 발급 증명서는 공증 번역된 요약본 첨부
	우대요건 해당 자격증	
	한국사능력검정시험 인증서	국사편찬위원회에서 주관하여 실시한 시험에 한함
	의사상자 등 대상자증명서	
	국가유공자증	
	장애인 증명서	장애인등록증 또는 장애인복지카드
	가족관계증명서(다자녀)	

④ 안내 및 참고사항

㉠ 해당 업무를 수행하는데 적격자가 없는 경우 전형을 거쳐 채용하지 않을 수 있다.

㉡ 응시자가 선발인원과 같거나 적을 경우(또는 없을 경우)에는 재공고 할 수 있다.

㉢ 응시자는 제2종 보통 운전면허 이상 자격증과 제2종 소형면허 또는 원동기장치자전거면허 소지자로서 실제로 이륜자동차를 운전하여 우편물배달이 가능해야 한다.

> 일평균 700여통 이상(최번기 760통 이상)의 통상우편물과 20kg(최고 30kg) 상당의 다량 소포를 이륜자동차에 적재한 후 직접 운전·배달하기 위한 체력이 필요하다.

㉣ 토요일 휴무를 원칙으로 하나 직무의 성질, 지역 또는 기관의 특수성에 따라 필요한 경우 국가공무원 복무규정에 따라 근무시간 또는 근무일이 변경될 수 있다.

㉤ 원서접수 시 기재 사항이나 제출된 서류가 허위로 판명되었을 경우에는 합격 또는 임용을 취소할 수 있다.

㉥ 시험을 고의로 방해하거나, 허위사실 기재, 증명서 위조, 부정행위 공모 및 청탁 등으로 시험의 공정성을 심각하게 훼손한 경우에는 「국가공무원법」 제84조의2, 「부정청탁 및 금품 등 수수의 금지에 관한 법률」 제5장, 「부패방지 및 국민권익위원회의 설치와 운영에 관한 법률」 제8장, 형법 등 관련 규정에 따라 처벌될 수 있다.

㉦ 최종합격자 통지 후라도 신원조회, 공무원채용신체검사 등에서 부적격으로 판명될 경우에는 합격이 취소될 수 있다.

㉧ 시험계획은 불가피한 사정에 의하여 변경될 수 있으며, 변경된 사항은 해당 시험일 7일 전까지 최초공고 매체에 공고할 예정이다.

㉨ 「국가공무원법」 제45조의3 및 「공무원임용시험령」 제51조의2에 따라 누구든지 법령을 위반하여 채용시험에 개입하거나 채용시험에 부당한 영향을 주는 행위 등 채용시험의 공정성을 해치는 행위로 인하여 유죄판결이 확정된 경우 그 행위로 인하여 합격하거나 임용된 사람의 합격 또는 임용을 취소할 수 있으며, 이 경우 구체적 사실관계에 따라 확인된 피해자를 추가로 합격시키거나 시험의 응시기회를 부여할 수 있다.

㉩ 합격자 결정방법 등 시험에 관한 구체적인 내용은 공무원임용시험령 및 관련 법령을 참고한다.

㉪ 누구든지 경력경쟁채용시험에 관한 증명서류에 거짓 사실을 적거나 그 서류를 위조 · 변조하여 시험결과에 부당한 영향을 주는 부정행위를 알게 된 때에는 인사혁신처에 온라인 신고를 할 수 있다.

(4) 직무기술서(우정9급)

<table>
<tr><th colspan="3">주요업무</th></tr>
<tr><td>우편물의 배달과 수집</td><td colspan="2">- 우편 차량, 원동기장치 운전
- 관할 지역 우편물 구분 · 수집 · 배달
- 우편물 배달 및 수집 자료 전산등록 및 처리
- 우편물 배달 및 수집 관련 부대업무</td></tr>
<tr><th colspan="3">필요역량</th></tr>
<tr><td>공통 역량</td><td colspan="2">- 공직윤리(공정성, 청렴성)
- 공직의식(책임감, 사명감)
- 고객지향마인드(공복의식)</td></tr>
<tr><td>직무 역량</td><td colspan="2">- 안전의식 실천능력
- 성실한 업무처리능력
- 팀워크 지향 의사소통능력
- 고객(민원)응대능력</td></tr>
<tr><th colspan="3">필요지식</th></tr>
<tr><td colspan="3">- 차량 및 원동기장치 운행 관련 지식
- 사고예방 및 교통법규 관련 지식
- 집배 관련 시스템, PDA 장치 사용을 위한 정보화 관련 지식
- 우편물 배달 및 수집 관련 민원 해결을 위한 관련 지식</td></tr>
<tr><th colspan="3">응시자격요건</th></tr>
<tr><td colspan="3">관련분야 : 우편물 배달 · 수집 또는 택배(민간택배 포함) 업무</td></tr>
<tr><td>자격증</td><td colspan="2">① 제1종 또는 제2종 보통운전면허 소지한 자
② 제2종 소형면허 또는 원동기장치 자전거면허 소지자
③ ① ~ ② 모두 충족해야 한다.</td></tr>
<tr><td rowspan="3">우대 요건</td><td>관련분야 경력</td><td>우편물 배달, 수집 또는 택배(민간택배 포함) 업무 ※ 총 경력 1개월 이상에 대해 배점</td></tr>
<tr><td>無음주운전경력</td><td>운전경력증명서 상 음주운전 경력이 없는 자 ※ 음주운전 경력을 확인(감점식)</td></tr>
<tr><td>자격증</td><td>자동차정비기능장, 자동차정비기사, 자동차정비산업기사, 자동차정비기능사, 물류관리사, 유통관리사 3급 이상 ※ 유리한 자격 1개만 인정</td></tr>
<tr><td>가점 요건</td><td colspan="2">- 한국사검정능력시험(국사편찬위원회 주관) 6급 이상 인증서 보유시 3 ~ 5점 부여
- 취업지원대상자 5 ~ 10점 부여
- 의사상자 등 대상자 3 ~ 5점 부여</td></tr>
</table>

03 상시계약집배원 채용

(1) 시험 방법

① **신분** : 공무직 근로자(비공무원)

최초 3개월 동안 수습기간을 운영하며, 동 기간 중 업무능력 및 직무수행태도 등을 평가하여 계속 근로가 어렵다고 인정되는 경우 수습기간 만료 시 계약이 해지될 수 있다.

② **보수** : 기본급 + 수당 등 약 240만 원 이상

㉠ **기본급** : 월급 1,920,740원(추가 배달실적에 따라 연동하여 실적수당 별도지급)

㉡ **수당** : 운전수당, 직무수당, 명절수당, 근속수당, 정액급식비 등

㉢ **실적수당** : 연장근로수당, 휴일근로수당, 상시출장여비 등

㉣ **기타** : 사회보험(산재보험, 건강보험, 고용보험, 국민연금) 가입, 맞춤형복지제도, 1년 이상 근무 시 퇴직금 지급 등

③ **근무** : 주 5일(월~금), 1일 8시간(1주 40시간) ※각 우체국 및 우정청마다 다를 수 있습니다.

㉠ **기본근무시간** : 8:00~17:00, 업무에 따라 시간은 조정될 수 있음

㉡ **휴게시간** : 4시간 근로 시 30분 이상, 8시간 근로 시 1시간 이상

㉢ **휴가** : 연차유급휴가, 공무유급휴가, 특별유급휴가 등

④ **업무특성**

㉠ 각 우체국 및 우정청 마다 다르다.

㉡ 대국민 우편서비스 제공을 위해 고객만족마인드가 필요하다.

㉢ 일평균 1,000여통 이상의 통상우편물과 20kg 상당(최고 30kg)의 다량의 소포를 자동이륜차에 적재한 후 직접 운전 배달하기 위한 체력이 필요하다.

㉣ 업무처리를 위한 정보화 능력이 필요하다.

⑤ **시험방법** : 제1차 시험(서류전형), 제2차 시험(실기), 제3차 시험(면접시험)

(2) 실기시험

① **특징** : 각 우체국 및 우정청마다 실기시험의 종목이 다르다.

② **종목** : 각 우체국 및 우정청마다 다르지만 윗몸일으키기, 팔굽혀펴기, 소포상자 이동하기(20kg) 등이 있다.

③ 실기시험 합격기준

종목	기준시간	평가기준
윗몸일으키기	1분	기준 횟수 이상이면 합격이고 이하인 경우에는 불합격이 된다.
팔굽혀펴기	1분	
소포상자 이동하기 (20kg)	30초 ~ 1분	소포 등 우편물 배달 업무의 원활한 수행 가능한가를 평가한다.

④ 측정방법

㉠ 윗몸일으키기

- 시험관의 "준비" 구령에 따라 똑바로 누운 상태에서 다리를 30cm 간격으로 벌리고 무릎은 직각으로 굽혀 세우고 두 손은 머리 뒤로 깍지껴 잡는다.
- 시험관의 "시작" 구령과 함께 복근력만을 이용하여 몸은 위로 일으켜 굽힌다.
- 양 팔꿈치가 무릎에 닿으면 다시 누운 상태로 돌아간다.
- 누운 자세에서는 깍지 낀 양손, 어깨 등이 반드시 매트와 접촉되어야만 한다.
- 1분 동안 정확하게 실시한 횟수만 기록한다.
- 부정확한 동작 : 깍지를 풀거나, 팔꿈치가 무릎에 닿지 않는 등의 경우는 횟수에서 제외한다.

㉡ 팔굽혀펴기

- 남자
  - 시험관의 "준비" 구령에 따라, 양손을 어깨넓이로 벌려 30cm 높이의 봉을 손끝이 앞으로 가도록 잡고 양발을 모아붙인 자세에서 팔이 지면에 대하여 직각이 되도록 하고, 머리, 어깨, 허리, 엉덩이, 다리 등이 일직선이 되도록 한다.
  - 시험관의 "시작" 구령과 함께 팔을 90도 이상 굽혀 가슴이 바닥에 닿을 정도까지 굽혔다가 다시 완전히 편 상태를 1회로 간주한다.
  - 1분 동안 정확하게 실시한 횟수만 기록한다.
- 여자
  - 시험관의 "준비" 구령에 따라, 양팔을 어깨넓이로 벌리고 무릎을 마루에 대고 엎드려 30cm 높이의 봉을 손으로 짚어 팔을 봉과 직각이 되도록 하고, 머리, 어깨, 허리 엉덩이가 일직선이 되도록 한다.
  - 시험관의 "시작" 구령과 함께 팔을 90도 이상 굽혀 가슴이 바닥에 닿을 정도까지 굽혔다가 다시 완전히 편 상태를 1회로 간주한다.
  - 1분 동안 정확하게 실시한 횟수만 기록한다.

㉢ **소포상자 이동하기**

• 시험관의 “준비”구령에 따라, 출발선의 소포상자 앞에 선다.

• 시험관의 “시작”구령과 함께 두 팔로 20kg상당의 소포상자를 들고 빠른 걸음으로 10m를 이동 후 지정된 장소에 내려놓는다.

• 도착 장소에 준비된 20kg상당의 소포상자를 어깨에 메고 빠른걸음으로 반대편으로 10m를 이동한 후 지정된 장소에 내려놓는다.

⑤ **유의사항** : 응시종목 중 2종목 이상 합격자에 한하여 면접시험의 실시가 가능하다.

04 우정실무원 채용

(1) 근무 조건

① 담당업무

㉠ 우편물 구분 및 접수 보조 업무

㉡ 고중량 우편물 상 · 하차 및 기타 부대 업무

② 신분 : 공무직 근로자(비공무원)

최초 3개월 동안 수습기간을 운영하며, 동 기간 중 업무능력 및 직무수행태도 등을 평가하여 계속 근로가 어렵다고 인정되는 경우 수습기간 만료 시 계약이 해지될 수 있다.

(2) 응시자격

① 최종시험일 현재 18세 이상, 60세 미만인 자

② 책임감이 강하고 근면 · 성실한 자

③ 응시자격 제한

㉠ **지역제한** : 지원하는 지역에 공고일 현재 주민등록이 되어있는 자이어야 한다.

㉡ 우정사업조직에서 근무한 경력이 있는 자로서 최종시험일 현재 우편관계법령 또는 계약사항을 위반하여 계약이 해지된 날로부터 3년이 경과하지 아니한 자는 응시가 불가하다.

㉢ 「국가공무원법」 제33조(결격사유)의 각 호에 해당하지 않는 자

05 별정우체국 집배원 채용

(1) 채용절차

① 제1차(서류전형) : 응시자격요건 및 서류구비여부 등 형식요건을 심사한다.

② 제2차(면접전형)

㉠ 서류전형 합격자를 대상으로 면접시험(구술평가 포함)을 실시한다.

㉡ 우편상식, 금융상식 등이 포함된 평정요소로 결정한다.

(2) 직무기술서(집배원)

① 주요업무

㉠ 우체물 배달 및 수집을 한다. 우편차량 또는 원동기장치 운전, 관할 지역 우편물 구분 · 수집 · 배달, 우편물 배달 및 수집 자료 전산 등록 및 처리, 우편물 배달 및 수집 관련 부대업무가 있다.

㉡ 우정사업 마케팅활동 업무 등이 있다.

② 필요역량

㉠ 공통역량 : 공직윤리(공정성, 청렴성), 공직의식(책임감, 사명감), 고객지향마인드(공복의식)

㉡ 직급 역량 : 과업이해력, 치밀성, 협조성, 조직헌신

③ 필요지식

㉠ 차량 및 원동기장치 운행 관련 지식

㉡ 사고예방 및 교통법규 관련 지식

㉢ 집배 관련 시스템, PDA 장치 사용을 위한 정보화 관련 지식

㉣ 우편물 배달 및 수집 관련 민원 해결을 위한 관련 지식

④ 직무관련 필수 자격증 : 제2종 소형면허 또는 원동기장치자전거면허, 제1종 또는 제2종 보통운전면허이다(자격증 각 1개 이상 소지자).

03 우편 관련 법령

CHAPTER

#우편업무 규정 #우편법

(1) 우편물의 접수

우편물의 비밀보장 등(우편업무 규정 제5조)

① 타인의 비밀이라 함은 「개인정보보호법」 제2조 제1호에 따른 발송인 및 수취인의 개인정보(주소 · 성명 등)와 우편물의 내용 · 취급년월일 · 발송통수 및 발송상황 등 우편업무의 취급 중에 알게 된 사항을 말한다.

② 법원 등 관계기관이 공무상 필요에 의하여 타인의 비밀이나 우편물 등의 압수 · 제출을 요구하는 때에는 다음 각 호의 어느 하나에 해당하는 경우에 대하여 제공할 수 있다.

1. 법원이 재판수행을 목적으로 법적근거, 사용목적, 요청내용 등이 명시된 문서를 제출하는 경우
2. 수사기관이 범죄수사 및 공소제기 · 유지를 목적으로 법적근거, 사용목적, 요청내용 등이 명시된 영장을 제시하는 경우
3. 선거관리위원회가 선거범죄 조사를 목적으로 법적근거, 사용목적, 요청내용 등이 명시된 문서를 제출하는 경우
4. 그 밖의 관계기관이 법률에서 정한 소관업무 수행을 목적으로 법적근거, 사용목적, 요청내용 등이 명시된 개인정보 보호위원회의 심의 · 의결문서를 제출하는 경우

③ ②의 제1호와 제4호에 따라 해당 정보나 우편물 등을 제공한 때에는 제공한 날부터 30일 내에 관보나 해당 우편관서의 인터넷 홈페이지에 요청기관, 요청목적, 법적근거, 제공일자, 제공내용 등을 게재하고 인터넷 홈페이지에는 10일 이상 유지하여야 한다.

④ ②의 경우에 취급직원은 책임자(5급 이상 공무원을 장으로 하는 우체국의 과장 이상의 지위에 있는 자)의 참관하에 해당 정보나 우편물 등 인도하여야 하며, 우편물을 압수당하거나 제출하는 경우에는 그 내용을 지체 없이 관할 지방우정청장에게 보고하여야 한다.

⑤ ②에 따라 압수 또는 제출되었던 우편물을 돌려받은 경우에는 그 사유를 기재한 부전지를 해당 우편물에 붙여 송달하여야 한다. 이 경우 우편물이 훼손되었으면 훼손사유를 부전지에 명시하여야 한다.

집배원의 우편물 접수(우편업무 규정 제19조)

① 집배원은 집배업무수행 중 이용자의 요구가 있을 때에는 우편물(등기우편물의 부가취급은 배달증명에 한 한다)을 접수할 수 있으며, 우편물접수에 필요한 물품과 우표류는 접수창구와 수수한다. 다만, 우편요금 감액대상 우편물은 접수할 수 없다.

② 집배원이 등기 및 준등기우편물을 접수하는 때에는 다음과 같이 처리하여야 한다.

1. 우편요금 등과 우편물을 받는다.
2. 접수한 등기 및 준등기우편물은 귀국 즉시 창구접수부서에 인계하여 접수하고 익일 배달 시 우편물 접수영수증을 발송인에게 교부한다. 단, 발송인이 원하지 않는 경우 이를 생략할 수 있다.

(2) 우표류 판매 계약 및 관리

우표류의 공급(우편업무 규정 제121조)

① 관할우체국의 장은 판매인의 요청이 있을 때에는 우표류 전 품목을 공급을 하여야 한다. 다만, 보통우표를 제외한 기념우표류, 연하장 등은 해당 우체국의 배정량을 감안하여 공급하여야 한다.

② 관할우체국의 집배원은 배달과정에서 판매인으로부터 우표류 공급요청을 받은 경우 우표류를 공급하여야 하며 우표류를 공급할 수 있는 우편집배원(이하 '공급책임자'라 한다)을 다음과 같이 지정한다.

1. 우체통이 설치된 판매소는 당해 우체통의 우편물수집원 또는 담당 집배원(수집구가 없는 우편구에 한함)
2. 우체통이 설치되지 아니한 판매소는 그 인근에 있는 우체통의 우편물수집원 또는 담당 집배원(수집구가 없는 우편구에 한함)

(3) 우편물의 구분 방법

우편물의 구분원칙(우편업무 규정 제206조)

① 우편물은 주소에 의하여 구분한다. 다만, 기계구분 시 우편번호 또는 집배코드 등으로 구분할 수 있다.

② 우편물의 형태가 구분 칸에 구분하기가 부적합한 경우에는 운송용기에 직접 구분할 수 있다.

③ 우편집중국 및 배달국에서는 작업시간 등 소통여건을 고려하여 우편물의 종별(익일특급우편물, 일반·선택등기우편물, 준등기우편물, 일반우편물) 순으로 구분한다.

④ 우편물을 구분할 때는 오 구분이 발생하지 않도록 정확히 구분하여야 하고 오도착 우편물은 발견 즉시 최선 편에 연결될 수 있도록 우선 구분한다.

⑤ 배달국에서는 특급우편물이 송달기준일(시)까지 배달 가능하도록 도착 즉시 구분하여 집배원에게 인계한다.

(4) 우편물의 집배업무

공휴일의 집배(우편업무 규정 제296조)

① 공휴일에는 집배업무를 하지 아니한다.

② 공휴일이 2일 이상 연속되는 경우의 배달 업무는 집배국의 실정에 따라 필요한 경우에는 ①의 규정에 불구하고 다음의 집배업무를 행한다.

1. 국민투표기간과 대통령, 국회의원, 지방의회의원 및 지방자치단체장 등 선거기간 : 이 기간 중의 공휴일의 집배는 집배국의 실정에 따라 선거우편물의 집배업무에 한할 수 있다.
2. 특별소통기간 : 이 기간 중의 공휴일의 집배는 집배국의 실정에 따라 집배회수를 증감할 수 있다.

보충집배(우편업무 규정 제297조)

천재지변, 기타의 사고로 인하여 정규의 집배일에 우편물의 집배를 하지 못한 다음날이 집배업무를 하지 아니하는 날일 경우에는 그날에 보충 집배할 수 있다.

비정규집배원 및 위탁 배달요원의 업무수행(우편업무 규정 제300조)

① 비정규집배원 및 위탁배달요원은 지정된 장소에서 우체국의 담당직원과 우편물을 수수하여야 한다.

② ①의 경우 지정된 장소에서 비정규집배원 및 위탁배달요원에게 우편물을 수수하는 자는 정규직원으로 배치하여야 하며, 그 직원의 임무는 다음과 같다. 단, 비정규집배원에게 적용하며, 위탁배달요원의 업무수행은 위 · 수탁 계약서의 내용을 따른다.

1. 우편물의 수수
2. 비정규집배원의 집배업무 수행에 필요한 지도
3. 각종 지시사항의 전달
4. 수집편찰 수수
5. 집배용품의 보관상태 점검
6. 보관우표의 검사 및 당일 판매한 우표의 구입보충

③ 비정규집배원의 집배는 일반집배원의 집배방법에 의하여 행한다.

집배업무의 대행(우편업무 규정 제301조)

① 집배원(비정규집배원 포함)이 질병 기타 불의의 사고로 인하여 집배업무를 수행할 수 없는 경우에는 그 지역의 사정에 익숙한 집배원에게 이를 배달시켜야 한다.

② ①의 원활한 대무를 위하여 책임직은 평소 집배원 간 통구훈련 등을 정기적으로 실시하여야 한다.

집배업무도중의 사고(우편업무 규정 제302조)

① 집배원이 집배업무도중 발병 또는 기타의 사고로 인하여 집배업무를 수행할 수 없는 경우에는 우편물을 안전하게 보관하고 인근주민 등을 통하여 우체국에 그 사실을 통보하여 줄 것을 요구하여야 한다.

② 집배책임직은 다른 집배원으로 하여금 우편물을 인수토록하고 우편물을 인수한 집배원은 그 우편물을 신속하게 배달될 수 있도록 조치하여야 한다.

교통이 차단된 지역의 집배(우편업무 규정 제303조)

전염병의 발생 또는 기타 사유로 인하여 통행이 차단된 지역이 있는 경우에는 관계기관과 사전협의하여 집배업무를 수행하여야 한다.

(5) 우체통의 수집

수집방법(우편업무 규정 제311조)

① 수집원은 다음과 같이 우체통의 우편물을 수집하여야 한다.

1. 수집구 내의 우체통을 배달순로에 따라서 수집시각을 정하고 그 시각에 맞추어 수집하여야 한다.
2. 우체통의 외관 및 잠금장치에 이상이 없는가를 확인한다.
3. 우체통에 투함된 우편물을 수집 시, PDA를 활용하여 수집 시각 · 결과를 등록하여야 하며, PDA 사용이 불가할 때에는 수집결과 등을 전산시스템에 직접 등록하여야 한다.
4. 우편물을 수집한 후에는 우체통을 잠가야 한다.
5. 수집과 배달을 겸행하는 때에는 수집우편물과 배달우편물이 혼합되지 아니하도록 하여야 한다.

② 수집우편물량이 특히 많아서 한꺼번에 수집 또는 운반할 수 없는 경우에는 다음과 같이 처리하여야 한다.

1. 즉시 소속국에 요청하여 지원 또는 지시를 받아야 한다.
2. 가까운 곳에 우체국이 있는 경우에는 수집우편물을 우체국에 일시보관하고 소속국에 지원을 요청한 후에 수집을 계속한다.

수집업무의 확인(우편업무 규정 제312조)

① 집배책임직은 매일 전산시스템에 등록된 우체통 수집상황을 확인하여야 한다.

② 국전함 등 집배원이 수집 하지 않는 우체통은 수집업무를 하는 관할우체국장이 수집상황을 매일 확인하여야 한다.

우체통 열쇠의 관리(우편업무 규정 제313조)

① 우체통의 열쇠는 책임자가 잠금장치가 되어있는 일정한 장소에 보관하고 집배원이 출발할 때마다 교부하여야 한다.

② 집배원이 우편물의 수집도중 우체통의 잠금장치가 고장인 것을 발견한 때에는 우체통의 우편물 투입구에 '고장'이라 써 붙이고 집배책임자에게 즉시 보고하여야 한다.

특수지계약집배원의 수집(우편업무 규정 제314조)

① 특수지계약집배원이 수집한 우편물은 그 집배원에게 우편물을 수도하는 자에게 인계하여야 한다.

② ①의 특수지계약집배원이 특수우편물을 접수한 경우에는 수수부에 의하여 이를 수수하여야 한다.

국가기관 등의 구내우체통 우편물수집(우편업무 규정 제315조)

① 국가기관, 공공단체 및 법인 등 일정한 구내에 있는 우체통의 우편물수집은 그 기관의 근무시간 내에 하여야 한다.

② 우체통이 있는 기관의 장이 우체통까지의 통로를 개방하고 근무시간 후에도 수집을 요청하는 경우에는 이에 응하여야 한다.

국내우편함 및 국전우체통의 우편물수집(우편업무 규정 제316조)

① 국내우편함 및 국전 우체통의 우편물은 당일 우편물 최종 발송편 차량시각에 맞추어 수집시각을 정하고 수집하여야 한다.

② 시외우편구에 있는 무집배국의 국내함 및 국전우체통의 우편물은 해당우체국에서 수집하여야 하며, 그 지역을 통과하는 운송원 또는 집배원편에 우편물을 수집하여 발송할 수 있다.

사설우체통의 우편물수집(우편업무 규정 제324조)

사설우체통의 우편물수집은 우체통 수집방법과 동일하게 수집한다.

(6) 우편물의 배달

우편물 배달처리 기준(우편업무 규정 제326조)

① 일반우편물은 도착한 날에 순로 구분 후 그 다음날에 배달하여야 한다(단, 순로구분기 보유관서의 오후 시간대 도착 우편물은 도착한 다음날 순로구분하여 순로구분 다음날 배달).

② 특수취급우편물의 배달은 「2회 배달, 4일 보관 후 반환」을 원칙으로 하며, 2회째 배달(재배달)의 경우 우편물의 표면에 표기된 수취인(반환하는 경우에는 발송인)이 보관기간 내 우체국영업일 중 특정일을 배달일로 정하여 우체국에 재배달 신청 시 1회 한해 실시한다(특별한 사유가 있을 경우 우정사업본부장 고시로 지정된 우체국에 한하여 배달 및 보관 원칙을 달리하여 운영). 단, 다음 각 호의 경우는 원칙의 예외로 하며, 예외 우편물의 2회째 배달은 수취인(반환하는 경우에는 발송인)의 신청이 없어도 우체국에서 재배달 한다.

1. 특별송달 : 3회 배달 후 보관 없이 반환
2. 맞춤형 계약등기(외화 제외) : 3회 배달, 2일 보관 후 반환
3. 외화 맞춤형 계약등기 : 2회 배달, 보관 없이 반환
4. 내용증명, 보험취급(외화제외), 선거우편, 등기소포 : 2회 배달, 2일 보관
5. 선택등기우편물 : 2회 배달, 수취인 폐문부재 시 우편수취함 배달
6. 그 밖의 특별한 사유로 우정사업본부장이 정하는 경우
7. 그 밖의 특별한 사유로 관할지방우정청장이 정하는 경우

③ 준등기우편물은 접수한 날의 다음날부터 3일 이내 배달하여야 한다. 다만, 특별한 사유로 관할 지방청장이 정하는 경우는 예외로 한다.

④ 국제우편물은 「국제우편규정」 제23조 제1항에 따라 배달하되, 국제특급우편물의 배달은 국내특급우편물 배달의 예에 따른다. 단, 도서지역 배달하는 국제특급우편물은 국내특급우편물 취급 예에 의하지 아니할 수 있다.

배달의 우선순위(우편업무 규정 제327조)

① 배달할 우편물량이 많아서 분할하여 배달하는 경우에는 다음 각 호의 규정 순위에 의하여 배달한다.

1. 기록취급우편물 · 국제항공우편물
2. 준등기우편물, 일반통상우편물(국제선편통상우편물중 서장 및 엽서 포함)
3. 제1순위, 제2순위 외의 우편물

② ①의 제1호부터 제3호까지 따른 우편물중 1회에 배달하지 못하고 잔량이 있는 경우에는 다음편에서 다른 우편물에 우선하여 배달하여야 한다.

우편물중간보관(우편업무 규정 제328조)

① 집배국장은 1회에 배달할 우편물량이 많아서 집배원이 배달할 장소까지 우편물을 운반하기 곤란하다고 인정되는 경우에는 일반통상우편물 및 소포우편물에 한하여 집배원이 지정하는 중간보관장소까지는 자동차 또는 기타 운반수단으로 우편물을 운반하여 그 장소에서 집배원이 우편물을 인수하여 배달하게 할 수 있다. 이 경우 집배원은 일정한 중간보관장소와 우편물을 보관할 자를 지정하여야 한다.

② ①의 경우 우편물을 우체국 또는 우편취급국으로 송부할 때에는 그 중간보관자루의 국명표에 'ㅇㅇ국 보관'이라 표시하여 발송하여야 하며 당해 우체국 또는 우편취급국에서는 이를 보관하였다가 담당집배원이 도착하면 인도하여야 한다.

무료우편자루의 배달(우편업무 규정 제329조)

① 우편자루에 체결된 무료우편물을 1개의 우편물로 배달하여야 한다.

② ①의 경우에는 우편물의 수취인에게 우편자루보관증을 받고 배달한 후에 그 우편자루를 지체 없이 반환하게 하여야 한다.

배달 및 미배달우편물의 처리(우편업무 규정 제331조)

① 집배원은 배달 및 미배달우편물의 명세를 전산시스템에 매일 등록하여야 한다.

② ①의 경우 일반통상우편물 및 일반소포우편물의 물수는 집배원이 전산등록하고 준등기 또는 선택등기우편물을 포함하여 등기우편물의 물수 및 미배달우편물의 물수는 전산시스템에 전송하여야 하며, 책임자는 이를 확인하여야 한다.

(7) 등기우편물의 배달

배달자료의 생성(우편업무 규정 제332조)

등기통상우편물 및 등기소포우편물을 배달하는 때에는 전산시스템에서 배달자료를 생성하여 당해 우편물과 함께 집배원에게 인계하여야 한다.

집배원 등과의 수수(우편업무 규정 제333조)

① 배달하여야 할 등기우편물을 집배원(취급구분에 따른 취급직원 포함)에게 인계하는 때에는 전산시스템에서 생성된 배달자료와 우편물을 대조 확인한 후 전산시스템을 통하여 수수한다.

② 배달하지 못한 우편물을 집배원이 반납한 때에는 배달결과를 전산시스템에 등록 처리하고 미배달우편물 명세와 우편물을 대조 확인한 후 수수하여야 한다.

③ 국가기관, 공공단체, 법인 등 여러 사람으로 구성된 단체에서 그 단체 및 구성원에게 오는 우편물을 수령할 자를 선정하여 그 선정인의 확인을 받고 이를 배달할 수 있다.

수령인의 확인(우편업무 규정 제334조)

① 등기우편물을 수취인 또는 그 동거인에게 배달(교부)한 때에는 영 제42조 제3항 및 규칙 제28조에 따라 수령인의 확인을 받아야 한다. 다만, 등기우편물을 무인우편물보관함 또는 전자 잠금장치가 설치된 우편수취함에 배달하는 경우에는 무인우편물보관함 또는 해당 우편수취함에서 제공하는 배달확인이 가능한 증명자료로 수령사실의 확인을 갈음할 수 있다.

② ①의 경우에 수령인은 도장을 찍거나 자필 성명 기재 또는 전자적인 방법으로 성명을 기재하여야 한다.

③ 선택등기우편물은 2회 배달시도하고, 폐문부재 사유로 수취인에게 배달할 수 없는 경우에는 수취인의 우편수취함(일반우편물 수취 장소)에 투함하여 배달한다.

④ 영 제42조 제4항에 따라 등기소포우편물은 수취인으로부터 수령권한을 위임받은 대리인에게 ②에 따라 배달할 수 있으며, 무인우편물보관함 등 수취인의 신청(동의)를 받아 수령희망장소에 배달하는 경우에는 문자메시지 등 전자적 방법에 의한 통보로 수령사실을 갈음할 수 있다.

우편물도착안내 방법(우편업무 규정 제335조)

수취인 부재로 인하여 등기우편물을 배달할 수 없는 경우와 대리수령인에게 배달한 경우에는 우편물도착안내서를 수취함 등에 투입 또는 수취인이 발견하기 쉬운 장소에 부착하거나 단문메시지서비스(SMS)를 통해 수취인에게 우편물 도착사실을 안내한다.

배달증의 처리(우편업무 규정 제336조)

① 수령인의 확인을 받은 배달증을 집배원으로부터 받은 경우에는 수령인의 확인 및 동거인의 표시가 정당한지를 검사 확인하고 보관하여야 한다.

② 재배달을 필수로 처리하여야 할 등기우편물을 배달하지 못한 등기우편물의 경우에는 그 배달증의 여백에 '재배달'이라고 표시하고 재배달 시 배달증을 다시 작성하여 배달하여야 하며, 전산처리할 경우 배달결과 등록을 '재배달'이라고 표시하고 익일 재배달 시 배달자료를 다시 생성하여 배달하여야 한다.

③ 우편물 교부가 가능한 무인우편물 보관함에 보관한 경우에는 그 배달증의 여백에 '무인함 보관중'으로 표시하고, 수취인이 우편물을 수령하였을 때에는 제374조의4에 의해 처리한다.

④ 반송 또는 전송하는 우편물인 경우에는 그 배달증의 여백에 '반송' 또는 '○○국 전송'이라고 빨간색으로 표시하여야 하며, 전산처리할 경우 배달결과를 '반송' 또는 '전송'으로 등록한다.

(8) 준등기우편물의 배달

배달자료의 생성(우편업무 규정 제336조의2)

준등기우편물을 배달하는 때에는 전산시스템에서 배달자료를 생성하여 당해 우편물과 함께 집배원에게 인계하여야 한다.

집배원과의 수수(우편업무 규정 제336조의3)

배달하여야 할 준등기우편물을 집배원(취급구분에 따른 취급직원 포함)에게 인계하는 때에는 전산시스템에서 생성된 배달자료와 우편물을 대조 확인한 후 전산시스템을 통하여 수수한다.

우편수취함 등 배달(우편업무 규정 제336조의4)

① 준등기우편물은 수취인의 확인이 필요하지 않은 비대면 배달우편물로서 우편수취함 등에 투함하여 배달을 완료한다.

② 준등기우편물을 우편수취함 등에 투함하여 배달완료 시에는 배달결과를 전산으로 등록한다.

우편물 배달결과 안내 방법(우편업무 규정 제336조의5)

준등기우편물을 배달한 경우에는 발송인에게 단문메시지서비스(SMS) 또는 이메일 등을 통해 배달결과를 안내한다.

(9) 보험취급우편물의 배달

보험취급우편물의 집배원 처리(우편업무 규정 제338조)

① 통화등기우편물을 배달하는 때에는 집배원이 보는 앞에서 수취인이 당해 우편물을 개피하여 내용금액을 표기금액과 대조 확인하도록 하여야 한다.

② 유가증권등기우편물을 배달하는 때에는 ①에 의하여 개피하게 한 후에 표기된 증서의 명칭 및 금액과 내용을 대조 확인하도록 하여야 한다.

③ 물품등기우편물을 배달한 때에는 봉투와 포장상태의 이상 유무만을 확인하도록 하여야 한다.

④ 외화등기우편물을 배달하는 때에는 ①에 의하여 수취인에게 개피하여 확인 한 후에 집배원의 개인휴대용단말기(PDA)상의 표기금액과 대조 확인하도록 하여야 하며, 외화등기우편물 봉투 안의 외화 현금액을 개인휴대용단말기(PDA)에 입력한다.

(10) 배달증명우편물의 배달

배달증명서의 작성(우편업무 규정 제341조)

① 배달증명서는 전산시스템에서 출력하여 발송인에게 무료등기우편물로 발송한다. 단, 시스템 장애 시 배달증과 배달증명서를 작성하여 우편물과 함께 집배원에게 교부한다.

② 전산등록을 할 수 없는 배달증명우편물을 배달하는 때에는 배달증과 배달증명서의 적요란에 수령자를 기재하고 수령인의 증인을 받아야 한다.

⑾ 국내특급우편물의 배달

배달 시각의 확인(우편업무 규정 제350조)

① 도착된 국내특급우편물은 가장 빠른 배달편에 의하여 배달하되, 제334조에 따라 수령인의 확인(전자서명 포함)을 받으면서 배달 시각을 함께 확인 받아야 한다.

② 익일 특급우편물은 접수 다음날까지 수령인의 확인(전자서명 포함)을 받고 배달하며, 토 · 일 · 공휴일은 배달하지 않는다.

익일배달승인우편물의 배달(우편업무 규정 제351조)

국내특급우편물 접수 마감시간 이후에 접수하여 우편물표면에 "마감 후"의 표시가 되어있는 국내특급우편물이 도착하는 경우에는 다음날의 가장 빠른 배달편에 즉시 배달하여야 한다.

국내특급우편물의 재배달(우편업무 규정 353조)

규칙 제61조 제3항의 규정에 의하여 재배달하는 경우에는 배달증에 "재배달"의 표시와 그 사유를 기재하여야 한다.

국내특급우편물의 반송 및 전송(우편업무 규정 354조)

수취인에게 배달하지 못한 국내특급우편물을 반송 또는 전송 시에는 익일특급의 예에 의하여 송달한다.

⑿ 특별송달우편물의 배달

특별송달우편물의 배달(우편업무 규정 제363조)

① 특별송달우편물을 배달하는 때에는 우편송달통지서의 해당란에 수령자의 서명(자필 성명 기재)이나 도장 또는 지장을 받아야 한다(전자서명 포함).

② 특별송달우편물의 수취인이 부재 시에는 그 사무원, 고용인 또는 동거자에게 배달하여야 한다.

③ 수취인이 일시 부재중이고 사리를 판별할 수 없는 나이 어린 사람만이 있는 경우에는 다음편에 다시 배달하여야 한다.

④ 군부대 또는 선박에 있는 자와 교도소 또는 구치소에 수감된 자에게 배달하는 특별송달우편물은 그 기관의 장 또는 접수처에 배달하여야 한다.

⑤ 특별송달우편물을 수령할 사람이 수령을 거절하는 경우에는 해당 특별송달우편물을 수령할 사람이 보는 곳에 두고 올 수 있다.

⑥ 그 밖의 특별송달우편물의 배달에 관한 사항은 대법원 '재판예규 제943－21호'를 따른다.

우편송달통지서의 작성(우편업무 규정 제364조)

① 특별송달우편물을 배달한 집배원은 우편송달통지서에 우편물을 받은 자의 성명 및 수취인과의 관계 기타 필요한 사항을 기재하고 서명 날인하여 집배책임자에게 제출하여야 한다.

② 우편송달통지서는 연필로 작성하여서는 아니 된다.

③ 특별송달우편물에 우편송달통지서가 붙어 있지 아니하거나, 우편송달통지서에 해당사항이 기재되지 아니한 경우에는 배달국에서 이를 조제하여 배달하고 그 사유를 접수국에 통지하여야 한다.

④ 우편송달통지서는 책임자가 기재사항의 정당여부를 검사한 후에 이를 특별등기우편물로 발송인에게 송부하고 등기번호는 배달증원부의 적요란 또는 특별송달우편물처리부의 해당란에 기재하여야 한다.

⑤ 발송기관과 전산시스템이 연계된 경우 특별송달우편물의 배달결과는 관련지침에 따른다.

우편송달통지서의 발송(우편업무 규정 제365조)

우편송달통지서의 발송인 란에 발송기관명만을 기재한 것은 당해 기관으로, 발송기관의 과명까지 기재되어 있는 것은 당해 기관의 과로 발송하여야 한다. 이 경우 당일 분을 종합하여 1통의 우편물로 발송할 수 있다.

특별한 방법으로 배달한 특별송달우편물의 배달증원부의 기재(우편업무 규정 제366조)

특별송달우편물을 배달장소 이외의 장소에 배달한 경우에는 그 장소를, 수취인 이외의 자에게 교부한 경우에는 그 자의 성명을 배달증원부의 적요란 또는 특별송달우편물처리부의 비고란에 기재하여야 한다.

보관교부지에 배달하는 특별송달우편물(우편업무 규정 제367조)

보관 교부지 내에 거주하는 자에게 배달하는 특별송달우편물은 보관 교부지에 가는 특별등기우편물의 배달예에 의하여 배달한다.

배달할 수 없는 특별송달우편물(우편업무 규정 제368조)

특별송달우편물의 배달에 있어서 수취인의 장기부재 또는 수취인의 주소지가 교통이 차단된 지역에 있거나 배달할 수 없는 특별한 사유가 있는 경우에는 그 사유를 전산시스템에 입력하고 봉투뒷면에 인쇄된 부전사유의 해당란에 표시하여 발송인에게 반송하여야 한다.

⒀ 등기우편물의 대리수령인 배달

대리수령인의 자격(우편업무 규정 제369조)

수취인이 지정하는 등기우편물 대리수령인은 동일집배구 내에 거주하고 사리를 분별할 수 있는 사람으로 하여야 한다.

대리수령인 지정신고서의 관리(우편업무 규정 제372조)

① 접수된 등기우편물 대리수령인 지정신고서는 신고인 및 대리수령인 주소지를 담당하는 집배원으로 하여금 열람케하고 여백에 서명날인토록 한다.

② ①에 의해 열람한 집배원은 그 사실을 관리부에 기록 관리하여야 한다.

대리수령인 배달방법(우편업무 규정 제373조)

① 등기우편물은 신고 시에 지정한 배달방법에 따라 대리수령인에게 배달하여야 한다. 다만, 특별송달우편물은 대리수령인에게 배달하여서는 아니 되며, 일반적인 특별송달우편물의 배달방법에 의하여 배달한다.

② 대리수령인이 이사하였거나 대리수령을 거부하는 경우에는 그 사실을 신고서 여백에 기재한 후 책임직이 확인하고 대리수령인 지정이 자동해지된 것으로 처리한다.

③ ②의 경우와 대리수령인 장기부재 등으로 대리수령인에게 배달이 불가능한 경우 그 사유를 기재한 부전지를 당해 우편물에 붙여서 일반적인 등기우편물의 예에 의하여 원래의 수취인에게 배달한다.

대리수령사항 기록(우편업무 규정 제374조)

등기우편물을 대리수령인에게 배달한 경우 배달증의 여백에 '대리'라고 기록하거나 전산시스템에 '등기대리수령인'이라고 등록한다.

무인우편물보관함의 형태 · 위치(우편업무 규정 제374조의2)

① 무인우편물보관함은 수취인 또는 수취인의 동의를 받은 자만이 수령할 수 있도록 기계적 · 전자적으로 수령의 제한이 있어야 한다.

② 무인우편물보관함은 영수증 또는 모니터 화면 등 우편물 보관에 대한 증명자료가 제공되어야 한다.

③ 수취인이 우편물 배달을 신청 또는 동의한 무인우편물보관함은 수취인과 동일 집배구에 위치하여야 한다.

무인우편물보관함의 배달방법(우편업무 규정 제374조의3)

① 수취인 부재로 무인우편물보관함에 배달할 때에는 수취인의 동의를 받은 후 배달하여야 한다. 다만 사전에 수취인이 무인우편물보관함에 배달해 줄 것을 신청한 경우에는 수취인을 방문하지 않고 배달할 수 있다.

② 무인우편물배달함 배달에 대한 수취인의 동의를 받지 않은 경우에도 영 제43조 제3의2의 '우편물 교부가 가능한 무인우편물보관함'을 이용하여 수취인에게 우편물을 교부할 수 있다.

③ 특별송달, 보험등기 등 수취인의 직접 수령한 사실 확인이 필요한 우편물은 무인우편물보관함에 배달할 수 없다.

무인우편물보관함 배달 증명자료 보관(우편업무 규정 제374조의4)

① 우편물 보관 후 무인우편물보관함에서 제공하는 영수증을 PDA(개인휴대용단말기)로 촬영하여 그 이미지를 보관한다.

② 영수증이 제공되지 않고 모니터로 보관내용이 표시되는 경우에는 모니터 화면을 PDA로 촬영하여 보관할 수 있다.

무인우편물보관함 배달사항 기록(우편업무 규정 제374조의5)

무인우편물보관함에 배달한 경우 배달증 여백에 '보관함'이라고 기록하거나 전산시스템에 '무인배달'이라고 등록한다.

⒁ 우편물의 창구교부

배달증의 처리(우편업무 규정 제376조)

① 등기 취급한 보관우편물의 배달증의 적요란에는 "보관"이라 기재하여야 한다.

② 제1항의 배달증은 수취인에게 교부할 때까지 우편물과 함께 보관한다.

⒂ 수취인의 청구에 의한 우편물 교부

배달하기전의 교부(우편업무 규정 제380조)

우편물을 배달하기 전에 수취인이 교부요청한 때에는 신분증 등으로 정당수취인 여부를 확인하고, 그 우편물을 교부하여야 한다.

배달하지 못한 우편물의 창구교부(우편업무 규정 제381조)

1회 배달하였던 우편물로서 수취인 부재 등 사유로 배달하지 못한 우편물의 수취인이 우체국에 와서 우편물의 교부를 요청한 때에는 정당수취인 여부를 확인하고 그 우편물을 교부하여야 한다.

선박 또는 등대앞 우편물의 창구교부(우편업무 규정 제382조)

선박 또는 등대로 가는 우편물로서 당해 우편물을 받을 자격이 있다고 인정되는 자가 우체국에 와서 우편물의 교부를 요청한 때에는 신분증 등으로 그 정당여부를 확인하고 우편물을 교부하여야 한다.

창구교부 등기우편물의 배달증의 기재(우편업무 규정 제383조)

제380조 내지 제381조에 의한 우편물 중 등기우편물의 경우에는 배달증의 적요란에 "창구교부"라 기재한다.

⒃ 우편물의 사서함 교부

우편물 배달의 특례(우편법 시행령 제43조)

우편물을 해당 우편물의 표면에 기재된 곳 외의 곳에 배달할 수 있는 경우는 다음과 같다.

① 동일건축물 또는 동일구내의 수취인에게 배달할 우편물로서 그 건축물 또는 구내의 관리사무소, 접수처 또는 관리인에게 배달하는 경우

② 사서함을 사용하고 있는 수취인에게 배달할 우편물로서 사서함 번호를 기재하지 아니한 것을 그 사서함에 배달하는 경우

③ 우편물을 배달하지 아니하는 날에 수취인의 청구에 의하여 배달우편관서 창구에서 우편물을 교부하는 경우

④ 수취인의 일시부재나 그 밖의 사유로 우편물을 배달하지 못하여 배달우편관서 창구 또는 무인우편물보관함(과학기술정보통신부장관이 본인확인방법, 수취인에 대한 통지방법, 보관기간 등을 정하여 고시하는 기준에 적합한 무인우편물보관함을 말한다)에서 우편물을 교부하는 경우

⑤ 교통이 불편한 도서지역이나 농어촌지역 또는 과학기술정보통신부장관이 필요하다고 인정하는 지역으로 배달할 우편물을 과학기술정보통신부령이 정하는 바에 의하여 개별 또는 공동수취함을 설치하고 그 수취함에 배달하는 경우

⑥ 수취인이 동일 집배구(우편집배원이 우편물을 수집하고 배달하는 구역을 말한다. 이하 같다)에 거주하는 자를 대리수령인으로 지정하여 배달우편관서에 신고한 경우에는 그 대리수령인에게 등기우편물을 배달하는 경우

⑦ 우편물에 "우체국보관" 표시가 있는 것으로서 과학기술정보통신부령이 정하는 바에 의하여 당해 배달우편관서 창구에서 수취인에게 교부하는 경우

⑧ 교통이 불편하여 통상의 방법으로 우편물 배달이 어려운 지역에 배달할 우편물로서 과학기술정보통신부령이 정하는 바에 의하여 당해 배달우편관서 창구에서 수취인에게 교부하는 경우

⑨ 무인우편물보관함을 이용하는 수취인의 신청 또는 동의를 받아 그 수취인과 동일 집배구에 있는 무인우편물보관함에 등기우편물을 배달하는 경우

⑩ 수취인이 주거이전을 신고한 경우로서 우편물을 수취인이 신고한 곳으로 전송하는 경우

⑪ 수취인이 과학기술정보통신부장관이 정하여 고시하는 우편물에 대하여 우편물의 표면에 기재된 곳 외의 곳으로 배달을 청구하는 경우

사서함 번호를 기재한 우편물(우편업무 규정 제390조)

① 사서함에 교부하는 우편물은 운송편 또는 수집편이 도착할 때마다 구분하여 즉시 해당 사서함에 투입하여야 한다. 다만, 등기우편물 · 요금수취인부담우편물 및 요금미납부족우편물과 용적이 크거나 수량이 많아서 사서함에 투입할 수 없는 우편물은 이를 따로 보관하고 배달증과 우편물을 보관하고 있다는 내용을 기록한 표찰(사서함사용자가 외국인인 경우에는 'Please contact the counter for your mail'이라 표시한 표찰)을 사서함에 투입하여야 한다.

② ① 단서의 경우에는 사서함사용자로부터 당해 사서함에 투입된 표찰을 받고 따로 보관하고 있는 우편물을 교부하여야 한다.

③ 제391조 단서에 규정된 특수취급우편물로서 사서함 번호만 기재한 우편물은 사서함에 배부하고 사서함 번호와 수취인의 주소가 함께 기재된 우편물은 주소지에 배달하여야 한다.

④ 등기우편물은 우편사서함 계약상의 우편물 정당수령인 여부를 확인하고 서명(전자서명 포함) 후 교부한다.

사서함 번호의 기재가 없는 우편물(우편업무 규정 제391조)

사서함 번호를 기재하지 아니한 우편물이라도 사서함 사용자가 확실한 경우에는 사서함에 투입할 수 있다. 다만, 특별송달우편물 등은 주소지에 배달하여야 한다.

⒄ 배달하지 못한 우편물의 처리

미배달 처리(우편업무 규정 제392조)

① 우편물을 배달함에 있어서 수취인 부재, 주소 및 이사불명 또는 수취거부 등으로 인하여 배달하지 못한 경우에는 해당 집배원이 미배달우편용 날짜도장을 우편물의 여백에 날인하고 그 사유를 표시하여야 한다. 다만, 특별송달 우편물은 우편송달통지서의 배달하지 못한 이유란에 사유를 표시하여야 한다.

② 우편물 미배달에 대하여 법령 또는 다른 훈령에서 특별히 규정한 이외에 ①에 따른 미배달우편용 날짜 도장으로 미배달 사유를 표시하기 곤란한 경우에는 부전지를 사용하여야 한다.

미배달 사유의 확인(우편업무 규정 제393조)

책임자가 집배원으로부터 제392조에 따라 미배달 처리한 우편물을 제출받은 때에는 배달하지 못한 사유를 검사(확인)하고 재조사할 필요가 있다고 인정되는 우편물에는 "재조사"라 표시하여 재 배달시켜야 한다. 다만, 재배달시에는 미배달우편용 날짜도장란의 "반송"표시를 지워야 한다.

재배달(우편업무 규정 제394조)

① 제392조에서 재배달 우편물로 분류(재배달이 필수인 우편물과 재배달 신청된 우편물)된 것은 다음편에 다시 배달하여야 한다.

② ①의 경우 등기우편물의 경우에는 배달증은 제336조에 준하여 처리한다.

③ 등기우편물에 전화번호가 기재된 것은 전화통화를 한 다음 재 배달할 수 있다.

수취인 장기부재시의 재배달(우편업무 규정 제395조)

① 수취인이 수취인 장기부재신고서에 의해 돌아올 날짜를 신고한 경우에는 그 돌아올 날짜의 다음날에 배달한다. 다만, 돌아올 날짜가 배달일로부터 15일 이후인 경우에는 '수취인 장기부재'라 표시하여 반송하여야 한다.

② 수취인의 돌아올 날짜가 배달일로부터 15일 이내인 경우에는 돌아올 날의 익일부터 배달편마다 재배달하되 재배달 기간(2일) 동안 재배달하여도 배달하지 못한 경우에는 발송인에게 반송하여야 한다.

⒅ 우편물의 전송

우편물의 전송(우편업무 규정 제396조)

① 법 제31조의2에 따라 우편물을 전송하는 때에는 주거이전 신고 된 주소를 기재한 부전지를 해당 우편물에 붙여 관할 우체국으로 송부하여야 한다. 다만, 주거이전신고를 철회한 경우와 우편물 전송기간이 만료된 후에 도착하는 우편물은 발송인에게 반송할 수 있다.

② 우편물의 수취인이 해외 이주한 경우에는 우편물을 전송하지 아니하고 발송인에게 반송하여야 한다.

③ 과학기술정보통신부장관이 정하여 고시하는 수수료를 수취인에게 내게하고 우편물을 전송하여야 할 경우는 다음 각 호와 같다.

1. 주거이전을 신고한 날부터 3개월이 지난 후에 도착하는 우편물을 수취인이 받기를 신고한 경우
2. 수취인이 주거를 이전한 곳에 우편물을 전송하는 데 상당한 비용이 소요되는 경우

④ ③에 따라 수수료를 내고 우편물을 전송받는 자가 해당 전송기간 중 철회를 요청할 경우에는 납입된 수수료에서 사용기간에 해당하는 금액을 일할 계산하여 공제하고 남은 금액을 되돌려 줘야 한다.

장기방치우편물의 처리(우편업무 규정 제397조)

① 수취함에 투함된 우편물은 장기방치우편물(배달일로부터 15일이 경과된 우편물) 여부와 관계없이 그대로 두되, 고객의 요구 시나 이사 등으로 수취인이 없음을 확인하였을 경우에는 반송 또는 전송 처리한다.

② 반송함에 투함된 우편물 중 그 사유가 표시되어 있는 우편물은 즉시 전송 또는 반송처리하며, 반송사유를 확인할 수 없는 우편물은 오배달 사례를 방지하기 위하여 1회에 한하여 재 투함 한다.

일반통상우편물의 배달 후 전송(우편업무 규정 제398조)

① 배달한 일반통상우편물에 대한 전송요청을 받은 때에는 배달한 다음날부터 7일 이내의 개봉되지 않은 우편물에 한하여 이에 응할 수 있다. 이 경우 우편물의 표면 여백에 "배달 후 전송"이라 기재하여야 한다.

② ①의 경우 배달일자가 분명하지 아니한 우편물은 당해 우편물 접수후의 송달 소요일수를 고려하여 추정한 날을 배달한 날로 한다.

일반통상우편물 배달후의 재 접수(우편업무 규정 제399조)

① 배달한 다음날부터 7일이 경과되거나 개봉된 일반통상우편물에 대한 전송요청을 받은 때에는 당해 우편물에 새로이 해당 우편요금의 우표를 붙여 제출하도록 하고 우편날짜도장으로 소인한 후에 그 옆에 "재접"이라 표시하여야 한다.

② ①의 경우 오배달로 인하여 정당주소지로 전송하는 우편물의 경우에는 ①의 기간에 불구하고 우표첩부 없이 최선 편으로 배달한다.

준등기 또는 선택등기우편물의 우편수취함 배달 후 전송(우편업무 규정 제399조의2)

우편수취함에 배달한 준등기 또는 선택등기우편물에 대한 전송요청을 받은 때에는 배달한 다음날부터 기산하여 7일 이내의 개봉되지 않은 우편물에 한하여 이에 응할 수 있다. 이 경우 우편물의 표면 여백에 "배달 후 전송"이라 기재하여야 한다.

준등기 또는 선택등기우편물의 우편수취함 배달 후 재 접수(우편업무 규정 제399조의3)

① 우편수취함에 배달한 다음날부터 기산하여 7일이 경과되거나 개봉된 준등기 또는 선택등기우편물에 대한 전송요청을 받은 때에는 당해 우편물에 새로이 해당 우편요금의 우표를 붙여 제출하도록 하고 우편날짜도장으로 소인한 후에 그 옆에 "재접"이라 표시하여야 한다.

② ①의 경우 오배달로 인하여 정당주소지로 전송하는 우편물의 경우에는 ①의 기간에 불구하고 우표첩부 없이 최선 편으로 배달한다.

등기우편물의 배달 후 전송 등(우편업무 규정 제400조)

① 수취인에게 배달(대리 수령인 포함)한 등기우편물(선택등기우편물 포함)에 대한 전송 또는 반송요청을 받은 때에는 당해 우편물에 새로이 우편요금 등에 해당하는 현금수납 또는 우표를 붙여 제출하게 하고 다시 접수하되, 우편물의 표면여백과 영수증에 "재접"이라 표시하여야 한다.

② ①의 경우 오배달로 인하여 정당 주소지로 전송하는 우편물의 경우에는 제399조 제2항의 규정에 의한다.

③ 국가기관, 공공단체, 법인 등 다수인이 근무하는 단체에 배달한 등기우편물에 대한 전송요청을 받은 때에는 당해 우편물을 배달한 다음 날부터 기산하여 7일이 경과하지 아니하고 우편물의 봉함 등에 흠이 없는 것에 한하여 응하되, 그 우편물의 전송은 제396조 제1항의 규정에 의한다. 이 경우 원래의 배달증 및 동 원부에는 "배달 후 전송"이라 기재하여야 한다.

④ 전자 잠금장치가 설치된 우편수취함에 우편물을 배달한 다음 날부터 기산하여 7일이 경과하지 아니하고 우편물의 봉함 등에 흠이 없는 우편물에 대해 수취거절을 이유로 반송요청을 받은 경우 "전자 수취함 배달 후 반송(수취거절)"로 기재하고 반송하며, 그 우편물의 반송은 제401조의 규정에 의한다.

⑲ 우편물의 반송

우편물의 반송(우편업무 규정 제401조)

① 우편물을 반송하는 때에는 지환우편용부전인을 날인하고 반송사유를 표시하여 우편물 발송인의 주소지를 관할하는 배달국 또는 반송처가 기재되어 있는 경우는 반송처로 송부하여야 한다.

② ①의 우편물중 발송인으로부터 징수하여야 할 우편요금 등이 있는 경우에는 그 금액을 표시한다.

③ 등기우편물을 반송하는 때에는 배달증에 반송일자, 반송사유 및 반송취급수수료의 금액을 기재하여야 하며, 배달증명우편물의 배달증명서는 접수국으로 송부한다.

④ ① 및 ③에 의해 우편물을 반송하는 때에는 일반우편에 준하여 처리한다.

발송인의 주소가 불명확한 우편물의 처리(우편업무 규정 제402조)

① 반송하여야 하는 우편물로서 발송인의 주소 또는 성명이 불명확하여 발송인에게 반송할 수 없다고 인정되는 것은 즉시 반송불능우편물로 처리하여야 한다.

② 발송인의 주소가 명확하지 아니하더라도 그 지역적 사정 또는 발송인의 신분 등으로 보아 발송국에서 발송인에게 배달할 가능성이 있다고 판단되는 때에는 반송하여야 한다.

반송우편물의 배달(우편업무 규정 제403조)

① 반송우편물의 배달은 수취인에게 배달하는 예에 의하여 발송인에게 배달하되 일반우편에 준하여 처리한다.

② 발송인에게 우편요금 등을 징수하여야 하는 우편물은 이를 징수하고 배달하여야 한다.

발송인의 수취거부시의 처리(우편업무 규정 제404조)

① 발송인이 반송우편물을 수취 거부하는 때에는 법 제32조 제2항 및 법 제54조의2의 규정을 설명하고 수취할 것을 권유하여야 하며, 이 경우에도 수취하지 아니하면 그 내용을 기재한 부전지를 우편물에 붙여 책임자에게 제출하여야 한다.

② 집배책임자가 ①의 우편물을 받은 때에는 법 제32조 제2항 및 법 제54조의2의 규정에 의하여 수취 거부할 수 없다는 뜻의 공문서 또는 부전지(직인을 날인하여야 함)를 붙여 재 배달하게 하여야 한다.

③ ②의 경우에도 발송인이 수취 거부하는 때에는 소속국장에게 보고하여 고발 등 필요한 조치를 하여야 한다.

⒇ 배달 또는 반송하는 때의 우편요금 등의 징수

요금수취인부담 우편요금 등(우편업무 규정 제406조)

① 규칙 제95조에 따른 요금수취인부담의 표시가 있는 우편물은 배달할 때마다 같은 수취인에게 가는 것을 합하여 요금수취인부담우편물 배달기록부에 기입한 후에 우편요금영수증 및 동 원부를 작성하여 우편요금영수증은 우편물과 함께 집배원에게 내어주고 우편요금영수증원부는 배달국에서 보관하여야 한다. 다만, 수취인의 요청이 있는 경우에는 수일분을 모아 함께 배달할 수 있다.

② ①에 따른 우편물을 배달하는 때에는 우편요금 등에 해당의 우표 또는 현금을 받고 요금수취인부담우편물과 함께 우편요금영수증을 내어주어야 한다. 이 경우 우표를 받은 때에는 우편요금영수증원부에 붙이고 소인하여야 하며 현금을 받은 때에는 즉납처리하고 우편요금영수증원부에 수납날짜도장을 받아야 한다.

③ 규칙 제98조 제4항에 따라 우편요금 후납계약을 한 요금수취인부담우편물의 경우에는 우편요금영수증 및 동 원부를 작성하지 아니하고 요금수취인부담배달기록부의 비고란에 '후납'이라 기재하여야 하며 수취인 요구 시 우편물영수증을 받아 우편요금 후납 고지의 증거서로 하여야 한다

반송취급수수료(우편업무 규정 제407조)

① 반송취급수수료를 징수하여야 하는 등기우편물을 반송하는 때에는 발송인으로부터 반송취급수수료에 해당하는 우표 또는 현금 등을 받고 우편물을 배달 또는 교부하되, 반송취급수수료로 받은 우표는 배달증 또는 별지에 붙여 소인하여야 하며 현금으로 받은 경우에는 당일분을 수합하여 즉납처리한 후 우편요금 즉납서를 배달증에 붙여야 한다. 이 경우 현금징수 당일에 현금출납시간 마감으로 인하여 즉납처리 못한 때에는 그 다음날 즉납처리한 후 그 내용을 우편요금즉납서의 여백에 기재하여야 한다.

② ①의 경우 배달증의 적용 란에는 '반송수수료 ㅇㅇ원'이라 기재하여야 한다.

③ 배달증명, 특별송달, 민원우편, 회신우편, 반환취급 수수료를 사전에 납부 또는 맞춤형계약등기우편물을 반송하는 때에는 반송취급수수료를 징수하지 아니한다.

④ ①에 의한 반송우편물을 집배원에게 교부할 때 또는 집배원이 반송수수료를 집배책임자에게 납부할 때에는 상호 확인하고 수수하여야 한다.

⑤ ①에도 불구하고 우체국과 발송인과의 사전 계약에 따라 발송하는 소포우편물 및 계약등기우편물을 반송하는 경우에는 그 계약에서 정한 반송취급수수료를 징수한다.

요금미납 또는 요금부족우편물의 우편요금 등(우편업무 규정 제408조)

① 요금미납 또는 요금부족의 우편물에 대하여는 미납부족요금 영수증 및 동 원부를 작성하여 미납부족요금영수증은 우편물과 함께 집배원에게 교부하고 미납부족요금영수증원부는 배달국에서 보관한다.

② ①에 의한 우편물을 배달하는 때에는 미납 또는 부족한 요금의 2배에 해당하는 금액을 현금으로 받고 미납부족요금영수증을 해당우편물과 함께 배달하여야 한다.

③ ①에 의한 우편물을 집배원에게 교부할 때 또는 집배원이 ②에 의한 우편요금 등을 집배책임자에게 납부할 때에는 수수부에 의하여 상호 확인하고 수수하여야 하며 우편물수취인으로부터 징수한 우편요금 등은 제12조2 제2항에 의하여 즉납하여야 한다.

④ 요금미납 또는 요금부족우편물을 수취하는 자가 국가기관 및 공공단체인 경우에는 미납부족요금을 우표로 수납할 수 있으며 이 경우에는 그 우표를 미납부족요금 영수증원부에 붙여 소인하여야 한다.

(21) 반송불능우편물의 처리

반송불능우편물의 송부(우편업무 규정 제410조)

① 반송불능우편물에는 담당집배원이 미배달우편용 날짜도장을 날인하고 그 사유를 표시하여야 하며 책임자가 이를 확인 검사한다.

② 제1호에 따른 검사가 끝난 반송불능우편물중 유가물(개피가 필요한 일반통상우편물, 준등기통상우편물 및 일반소포우편물)은 전산시스템에 도착등록한 후 그 종별과 수량을 기재한 반송불능우편물송부서와 우편물을 함께 관할 총괄국으로 송부한다(해당 우체국이 총괄국인 경우에는 반송불능우편물 전량을 반송불능우편 담당부서로 송부).

③ 등기우편물은 기록취급반송불능우편물송부서 2통을 전산시스템에서 출력하여 1통은 해당 우편물과 함께 합봉하고 봉투표면에 '반송불능우편물'이라 주서하여 관할 총괄국에 송부하고 1통은 해당국에서 보관한다.

④ 통화가 들어 있는 반송불능우편물은 명세서와 함께 송부한다.

⑤ 배달증명서가 수취인(배달증명을 청구한 우편물의 발송인을 말한다) 불명 등으로 배달할 수 없는 때에는 접수국에 특별한 확인수단이 있는 경우를 제외하고 배달국에서 3개월간 보관한 후에도 청구자가 없는 경우에는 폐기한다.

⑥ 민원우편물로서 수취인불명 등으로 배달할 수 없는 때에는 접수국에 특별한 확인수단이 있는 경우를 제외하고는 배달국에서 3개월간 보관한 후에도 청구자가 없는 경우에는 제3호에 따라 처리한다.

⑦ 법 제32조 제1항에 따라 반송거절의 의사를 우편물에 기재하여 발송인에게 되돌려 보내지 아니하는 우편물(반송함에서 발췌된 선택등기우편물 또는 폐문부재 외의 사유로 우편수취함에 배달하지 아니한 선택등기우편물 포함)은 1개월간 보관한 후 청구권자가 없는 경우 폐기한다.

⑧ 유가물이 아닌 반송불능우편물은 소속 배달우체국에서도 보관이 가능하다.

(22) 법규위반우편물의 처리

우편금지물품이 들어있는 우편물의 처리(우편업무 규정 제416조)

① 취급직원, 시설 및 다른 우편물에 손상을 끼칠 염려가 있는 폭발성, 발화성 기타 위험성이 있는 물질이 들어있는 우편물은 즉시 안전한 장소에 옮겨 위험발생에 대비한 예방조치를 한다.

② ① 이외의 금지물품이 들어있는 우편물은 주의문을 붙여 발송인에게 발송한다.

③ 우체국장은 ①의 금지물품을 보낸 사람(보내려고 한 자를 포함한다)에 대하여는 법령에서 정하는 바에 따라 필요한 조치를 하고 그 사실을 즉시 관할 지방우정청장에게 보고하여야 한다.

통화가 들어있는 우편물의 처리(우편업무 규정 제417조)

① 우편업무 수행 중 통화가 들어있는 우편물이 발견된 때에는 수수부에 의하여 책임자에게 인계하여야 한다.

② 책임자가 ①에 의하여 우편물을 인수한 때에는 다음 각 호와 같이 처리하여야 한다.

1. 규칙 제29조 제2항에 의하여 통화가 들어있는 우편물을 발송인에게 반환할 때에는 우편물에 사유를 기재한 안내문을 붙여야 한다.
2. 제1호의 경우에 발송인의 주소 및 성명의 불명 등으로 반환할 수 없는 때에는 해당 통화등기수수료와 동액의 부가금을 합하여 우편물의 수취인으로부터 징수하고 배달하되, 우편물에 넣은 현금금액이 해당 통화등기수수료와 그 부가금을 합한 금액에 미달하는 경우에는 그 현금의 금액만을 징수한다.
3. 제1호 및 제2호의 경우에 통화가 들어있는 우편물을 발송국 또는 배달국에 송부할 때에는 무료등기우편물로 하여야 한다.

③ ②의 제2호의 징수금은 제12조2 제2항의 예에 따라 즉납처리 하여야 한다.

④ ②의 제3호에 의한 무료등기우편물의 표면과 접수원부 및 배달증의 적요란에는 '법규위반'이라 표시하여야 한다.

⑤ 우체국에서는 ① 내지 ④의 처리사항을 법규위반우편물처리부 또는 업무일지에 기재하여야 한다.

법규위반 의심 우편물의 처리(우편업무 규정 418조)

① 우편업무 취급 중에 있는 우편물의 내용품이 금지물품 또는 법규위반의 것으로 의심되는 때에는 다음 각 호와 같이 처리하여야 한다.

1. 일정한 기일(7일)을 정하여 발송인 또는 수취인에게 우편물의 내용확인을 위하여 우체국에 나올 것을 통지하고 발송인 또는 수취인으로 하여금 우편물을 열도록 한다.
2. 폭발성, 발화성 기타 위험성이 있다고 의심되는 우편물 및 제1호에 의한 발송인 또는 수취인이 기한 내에 우체국에 나오지 아니하거나 우편물의 개봉을 거부한 경우에는 당해우체국장(또는 국장이 지정하는 책임자)이 관계직원 2인 이상을 입회시키고 개봉할 수 있다.

② 우편물을 개봉한 때에는 우편업무일지에 다음 각 호의 사항을 기재하고 개봉한 자 및 입회인이 서명날인하여야 한다.

1. 우편물의 발송인 및 수취인, 접수국명, 접수일자, 접수번호 등
2. 외장의 이상 유무 및 중량
3. 개봉검사 결과 및 조치내용 등 기타 필요한 사항

개봉검사우편물의 처리(우편업무 규정 제419조)

제418조에 따라 우편물을 개봉하거나, 우체국에서 개봉 검사한 때에는 다음과 같이 처리하여야 한다.

① 우편금지물품이 들어있는 우편물, 현금이 들어 있는 우편물은 제416조부터 제417조까지로 처리한다.

② ① 이외의 법규위반우편물은 그 사실을 기재한 안내문에 우편날짜도장을 날인하여 발송인에게 반환한다.

③ 법규에 위반되지 아니한 우편물은 이를 원상태로 봉함한 후에 그 사유를 기재한 안내문을 붙이고, 검사자 및 입회자가 서명한 후 송달한다.

(23) 우편에 관한 사고처리

재해 · 범죄 등의 우편사고 보고(우편업무 규정 제420조)

① 다음의 사고가 발생한 때에는 관계규정에 의하여 필요한 조치를 하고 그 상황 및 조치내용을 신속히 관할 지방우정청장에게 보고하여야 한다.

1. 우체국, 우체통 등 각종 우편시설 및 우편물의 화재
2. 우편물의 망실, 도난 및 소실 등의 사고
3. 우편물 운송선로의 사고

② 지방우정청장은 ①의 사고내용이 중요하다고 판단되는 경우에는 본부장에게 보고하여야 한다.

재해 시 우편물의 보호(우편업무 규정 제421조)

① 우체국이 재해를 당한 때에는 다른 물품에 우선하여 우편물을 보호하여야 한다.

② ①의 경우에는 등기 및 준등기우편물, 일반통상우편물, 일반소포우편물의 순으로 보호하여야 한다.

운송사고 발생 시의 통보(우편업무 규정 제422조)

우편물 운송선로의 사고 또는 기타 운송사고가 발생한 때에는 이를 즉시 관계우체국에 통보하여야 한다.

우편물 수수의 대행(우편업무 규정 제423조)

같은 우편물수수장소에서 2개국 이상이 수수하는 경우에 1국의 운송원이 도착하지 아니한 때에는 도착하지 아니한 국의 인접우체국의 운송원이 당해 우편물을 수수하여야 한다.

우편업무취급상 과오취급의 통보(우편업무 규정 제424조)

① 우편업무 취급 중 과오 취급한 것을 발견한 때에는 즉시 입회자와 함께 우편과오취급의 내용을 확인·검사하고 그 내용에 따라 필요한 조치를 한 후에 다음 각 호에 의하여 우편과오취급의 통보를 하여야 한다.

1. 중대한 과오로 처리할 사항
   가. 우편물의 수수 결행 및 수집을 결편한 경우
   나. 법규위반우편물을 접수한 경우
   다. 도착우편물 중 우편자루 등 운송용기, 등기 및 준등기우편물과 동 송달증과 내역이 일치하지 아니하는 경우
   라. 우편물을 오구분 및 오송하거나 운송용기를 잘못 발송한 경우
   마. 기타 관서장이 중대한 과오로 판단한 경우
2. 경미한 과오로 처리할 사항
   가. 요금부족우편물을 접수한 경우(접수검사를 한 것에 한 한다)
   나. 등기 및 준등기우편물의 번호표 첩부누락, 등기소포우편물인 경우 중량의 기재누락 또는 중량이 기재내용과 틀리는 경우
   다. 특수취급의 표시누락 또는 표시내용이 틀리는 경우
   라. 등기 및 준등기우편물이 들어 있는 우편자루 등 운송용기를 봉함 또는 봉인을 하지 아니한 경우
   마. 기타 관서장이 경미한 과오라고 판단한 경우
3. 제1호의 중대한 과오취급을 발견한 때에는 우편과오취급내역을 전산입력한 후 과오취급발생국으로 신속히 통보하고, 제2호의 경미한 과오취급에 대하여는 과오취급발생국으로 통보한다.

② ①에 의하여 우편과오취급 발생국에 과오취급의 사항을 통보하는 때에는 가능한 증거품을 확보하여야 한다.

선박, 항공기 결항 시 등 운송(우편업무 규정 제430조)

선박·항공기의 결항 및 자동차 고장 등으로 우편물 운송이 불가능한 경우에는 운송하고 있는 우편물의 내용 및 복구예정시간 등을 도착국에 통보하고 다음 각 호와 같이 처리 하여야 한다.

① 선박·항공기 결항 시에는 차량 등을 이용하여 운송을 하거나, 운항을 기다려 최우선편으로 운송한다.

② 운송도중 자동차의 고장으로 운송이 불가능한 경우에는 즉시 대체차량을 투입하거나 인근우체국에 협조 지원 요청하여 운송한다.

③ 우편물량 과다, 수수시간 부족 등으로 지정된 운송편에 연결하지 못한 경우에는 다음 편에 운송한다. 다만 긴급을 요하는 중요한 우편물에는 인편, 직영차 등 특별 운송하여야 한다.

(24) 재해지역의 운송 및 집배

장애구간의 운송(우편업무 규정 제431조)

① 설해, 수해 및 기타 불의의 사고로 정상의 방법으로 운송이 불가능한 경우에는 다음 각 호와 같이 운송하여야 한다.

1. 위험을 예측하여 위탁자동차의 운행을 정지한 때에는 직영자동차 또는 전세차를 이용하여 운송한다.
2. 항공기 또는 선박의 운항을 정지한 때에는 제430조에 의하여 처리한다.
3. 도로의 일부 또는 다리가 파손되어 차량통행이 불가능한 경우에는 가능한 우회 운송하도록 한다.
4. 제1호 내지 제3호의 조치가 불가능한 경우에는 당해 구간의 장애복구를 기다려 운송한다.

② ①의 제4호의 경우에는 그 내용을 해당우체국 앞에 게시하거나 보도기관 등을 통하여 이용자에게 알려야 한다.

장애지역의 집배(우편업무 규정 제432조)

① 설해, 수해 및 기타 불의의 사고로 정상의 방법으로 집배업무가 불가능한 경우에는 집배순로의 우회 기타 가능한 최선의 방법을 강구하고, 가능한 방법이 없는 때에는 장애의 복구를 기다려 집배업무를 수행하여야 한다.

② ①의 경우에 집배업무를 수행할 수 없는 때에는 그 사실을 당해우체국 앞 또는 우체국 홈페이지에 게시하여야 한다.

장애발생 보고(우편업무 규정 제433조)

① 설해, 수해 및 기타 불의의 사고로 우편물의 운송 및 집배업무의 장애가 발생하거나 이를 복구한 때에는 다음의 사항을 관할 지방우정청장에게 즉시 보고하고 전산등록 관리하여야 한다.

1. 장애발생 운송구간 및 운송망
2. 장애발생일시 및 장애복구 예정일시
3. 장애내용(발생사유) 및 장애지역
4. 장애 우편물량 및 장애용기

② ①의 장애로 인하여 전세차의 사용, 기타 비용의 부담이 있는 경우에는 보고서에 그 내용을 첨부하여야 한다.

③ 지방우정청장이 ① 및 ②에 의한 보고를 받은 때에는 즉시 필요한 조치를 하고 중요한 사항은 본부장에게 보고하여야 한다.

(25) 우편물에 관한 사고

흠있는 우편자루 등 처리(우편업무 규정 제434조)

흠있는 우편자루 등 운송용기 및 소포우편물을 발견한 때에는 다음 각 호와 같이 처리하여야 한다.

① 책임자의 참관 하에 봉함모양, 우편자루 등 운송용기의 파손모양 및 중량의 이상 유무를 검사한 후에 개봉한다.

② 개봉결과 우편자루 등 운송용기에 들어있는 우편물의 부족 또는 내용품의 손실 등의 사고가 있는 경우에는 발송국에 즉시 조회하여 그 원인을 조사하고 필요한 조치를 하여야 한다.

③ ① 및 ②에 따른 참관 검사 및 사고조사의 내용을 업무일지에 기재하고, ②의 경우에는 해당 우편사고의 처리가 완결될 때까지 운송용기 국명표 및 봉인용 묶음끈 등 증거물은 보관한다.

④ 개봉결과 이상이 없는 경우에는 "개봉결과 이상 없음"이라 기재한 안내문에 우편날짜도장을 날인한 후 우편자루 등 운송용기에 넣어 운송한다.

⑤ 내용품 이상이 있는 경우에는 발송국에 즉시 통보하여 필요한 조치를 하도록 한다.

⑥ 소포우편물 그 자체로 우편자루 대용으로 하는 경우에도 준용한다.

젖은 우편물의 처리(우편업무 규정 제435조)

① 운송 중에 젖은 우편자루 또는 우편물을 발견한 경우에는 발견한 우체국에서 책임자의 입회하에 우편자루를 개봉한 후 젖은 우편물은 분리하여 다른 우편물에 피해가 없도록 하여야 한다.

② 젖은 우편물은 신속히 말려서 송달하되, 지연의 우려가 있는 경우에는 접수 및 배달우체국에 이를 통보하여야 한다.

파손우편물의 보수(우편업무 규정 제436조)

① 등기 및 준등기우편물의 봉투 또는 포장이 파손되어 도착한 때에는 다음 각 호와 같이 처리하여야 한다.

1. 중량 계량 등 이상 유무를 확인하고 이상이 없는 것은 파손부분을 보수한 후에 검사자 및 입회자가 확인 서명하여 송달한다.

2. 중량에 이상이 있는 경우에는 “현상도착”이라 기재하고 내용품이 이탈되지 아니하도록 보수한 후에 검사자 및 입회자가 확인 날인하여 수취인에게 그 뜻을 설명하고 배달하되 수취를 거부한 경우에는 그 사유를 기재한 안내문을 당해우편물에 붙여 발송인에게 반환한다.

② 일반통상 및 일반소포우편물의 포장이 파손되어 도착한 때에는 파손부분을 보수한 후에 검사자 및 입회자가 확인 서명하여 송달하여야 한다.

보수우편물의 송달(우편업무 규정 제437조)

① 제435조 및 제436조의 처리를 한 등기 및 준등기우편물의 배달증, 송달증, 접수대장 또는 업무일지 등에 그 사유를 기록 관리하여야 한다.

② 우편물이 훼손되어 수취인이 불명한 경우에는 수취인을 확인하여 송달하고 수취인 및 발송인이 불명한 경우에는 우체국 앞 또는 우체국 홈페이지에 그 내용을 게시하여야 한다.

③ ①의 우편물을 배달, 교부, 반송할 경우에는 당해 우편물을 수취하는 자에게 우편물이 젖었거나 파손된 사실을 알려야 한다.

불완전한 포장으로 인하여 훼손된 우편물의 처리(우편업무 규정 제438조)

우편물의 훼손이 불완전한 포장으로 인하여 발생한 것으로 인정되는 경우에는 제436조 및 제437조에 의하여 처리한 후에 당해 우편물의 접수국에 그 사실을 통보하여 주의를 촉구하여야 한다.

도착국이 불명인 우편자루 등 운송용기의 처리(우편업무 규정 제439조)

우편자루 등 운송용기의 도착국명이 기재되지 아니하거나 도착국명이 불명인 것을 발견한 때에는 이를 열어 도착국을 조사한 다음에 그 사유를 우편자루 등 운송용기 국명표에 표시하여 정당한 도착국으로 운송하여야 한다.

다른 우체국의 운송용기 개봉(우편업무 규정 제440조)

다른 우체국앞 우편자루 등 운송용기를 착오로 개봉한 때에는 그 사유를 우편자루 국명표에 표시하여 최선편으로 해당 우체국으로 발송하여야 한다.

등기 또는 준등기번호가 없어진 등기 및 준등기우편물의 처리(우편업무 규정 제441조)

등기 또는 준등기번호표가 훼손 또는 없어진 등기 및 준등기우편물을 발견한 때에는 수취인 또는 발송인의 성명으로 전산 조회하여 우편물의 표면에 그 등기 또는 준등기번호를 기재하여 송달하여야 한다.

미도착 우편물 또는 우편자루 등 운송용기의 처리(우편업무 규정 제442조)

① 우편물 및 우편자루 등 운송용기의 일부 또는 전부가 도착하지 아니한 때에는 신속히 그 원인과 소재를 조사하여야 한다.

② ①의 경우 도착하지 아니한 원인이 당해국의 사고로 인한 것이 아니라고 판단된 경우에는 제424조 및 제425조에 의하여 처리한다.

우편물의 송달조사의 청구(우편업무 규정 제443조)

① 등기우편물의 발송인 또는 수취인으로부터 우편물의 미도착에 대한 조사의 청구를 받은 때에는 당해우편물의 도착 또는 발송여부를 전산 등을 통하여 확인한다.

② ①에 의한 확인결과 발송한 우편물이 수취인에게 배달되지 아니하였다고 인정되는 경우에는 우편물 송달순로에 따라 배달 모양을 조사하여야 한다.

우편물배달증명서의 미도착 신고(우편업무 규정 제444조)

발송인으로부터 "우편물배달증명서"가 도착하지 아니하였다는 신고를 받은 때에는 영수증을 제출하게 하여 우편물배달증명서를 청구한 것임을 확인한 후에 다음 각 호와 같이 처리한다.

① 전산망을 통하여 배달내역 확인이 가능한 경우에는 신고접수국에서 발행하여 교부한다.

② 우편물배달증명서를 재발행한 경우에는 배달증명서 비고란 등에 그 사항을 기록하여야 한다.

잘못 도착된 우편물 및 운송용기의 처리(우편업무 규정 제445조)

① 잘못 도착된 우편물 및 우편자루 등 운송용기는 최선편에 해당국으로 송달하여야 한다. 이 경우 묶음으로 된 우편물은 묶음표지에 그 내용을 표시하여야 한다.

② 우편자루 등 운송용기는 "○○국 오착"이라 기재하고 우편날짜도장을 날인한 표지를 부착하여 송달하며 빈 우편자루 등 운송용기에서 잔류우편물이 발견된 때에는 제1항에 따라 처리한다.

우편물의 손 · 망실 시 조치(우편업무 규정 제446조)

취급중의 우편물을 망실 또는 손실한 때에는 다음과 같이 처리하되 사고가 중대한 것은 관할 지방우정청장의 지휘를 받아 경찰관서에 그 사실을 신고하여야 한다.

① 망실한 우편물의 발송인에게, 발송인이 불명인 경우에는 수취인에게 우편물이 망실된 사실을 통지한다.

② ①의 경우 망실우편물이 다른 우체국에서 접수한 것인 경우에는 그 접수국을 경유하여 발송인에 우편물이 망실된 사실을 통지한다.

③ 발송인 및 수취인이 모두 불명인 경우에는 그 내용 및 개수(개수가 명확하지 아니할 경우에는 대략의 숫자)를 20일 동안 우체국 앞 또는 우체국 홈페이지에 게시한다.

망실우편물의 발견(우편업무 규정 第447조)

① 등기우편물의 경우에는 그 사실을 관할 지방우정청장에게 보고하여 그 지휘를 받아야 한다.

② 등기우편물 이외의 우편물인 경우에는 그 사실을 기재하고 우편날짜도장을 날인한 안내문을 해당 우편물에 붙인 후에 송달한다.

③ 제446조 제1호에 따라 발송인 또는 수취인에게 우편물이 망실된 사실을 기재하고 우편날짜도장을 날인한 안내문을 해당 우편물에 붙인 후에 송달한다.

④ 경찰관서에 신고한 경우에는 그 사실을 해당 경찰관서에 통보한다.

운송중의 우편물 및 운송용기 망실(우편업무 규정 第448조)

운송중인 우편물을 사고로 우편물의 일부를 망실하고 남아있는 우편물만 운송한 경우에는 용기송달증 등에 그 사유를 기재하고 제446조의 취급 예에 의하여 처리한다.

위탁운송편의 운송송달증을 분실한 경우의 처리(우편업무 규정 第449조)

① 수로, 항공우편 및 철도우편운송편의 도착국에서 우편물을 수수할 때에 운송송달증을 발견할 수 없는 경우에는 운송증에 의하여 수수하고 도착 즉시 도착국에서 운송송달증을 재발행하여야 한다.

② 우편물을 수수한 후 운송송달증을 분실한 때에는 도착국에서 운송송달증을 재발행하여야 한다.

(26) 우편물의 집배업무 확인

집배업무확인(우편업무 규정 第480조)

① 집배국장 또는 집배국장이 정하는 책임자는 월 1회 이상 관내의 집배구별 집배사항을 점검 확인하고, 그 때마다 업무일지에 기록하여야 한다.

② 집배업무확인공무원은 다음 각 호의 업무를 수행하여야 한다.

  1. 집배업무수행에 관한 사항
  2. 집배원의 복무기강에 관한 사항
  3. 우편물 위탁업무에 관한 사항

③ 집배국장 또는 집배국장이 정하는 책임자는 필요시 우편물 분실 등 잦은 민원발생 지역을 대상으로 모의시험우편물을 이용하여 집배업무수행 실태를 확인하여야 한다.

집배업무 확인 시 유의할 사항(우편업무 규정 제481조)

집배업무확인공무원이 집배업무 확인을 수행할 때에는 집배업무에 필요한 다음의 사항을 종합적으로 파악하여야 한다.

① 집배구는 인구, 지형 및 교통 등 제반여건에 비추어 합리적으로 설정되었는지의 여부

② 집배순로의 적정여부

③ 우체통 위치의 적정여부

④ 국가기관, 공공단체, 법인 및 일반주민의 집배에 관한 여론

⑤ 기타 집배업무에 참고 되는 사항

(27) 우편취급 위반관련 우편법

경영주체와 사업의 독점 등(우편법 제2조)

① 우편사업은 국가가 경영하며, 과학기술정보통신부장관이 관장한다. 다만, 과학기술정보통신부장관은 우편사업의 일부를 개인, 법인 또는 단체 등으로 하여금 경영하게 할 수 있으며, 그에 관한 사항은 따로 법률로 정한다.

② 누구든지 ①과 ⑤의 경우 외에는 타인을 위한 서신의 송달 행위를 업으로 하지 못하며, 자기의 조직이나 계통을 이용하여 타인의 서신을 전달하는 행위를 하여서는 아니 된다.

③ ②에도 불구하고 서신(국가기관이나 지방자치단체에서 발송하는 등기취급 서신은 제외한다)의 중량이 350그램을 넘거나 서신송달업을 하는 자가 서신송달의 대가로 받는 요금이 대통령령으로 정하는 통상우편요금의 10배를 넘는 경우에는 타인을 위하여 서신을 송달하는 행위를 업으로 할 수 있다.

④ 누구든지 ② 및 ③을 위반하는 자에게 서신의 송달을 위탁하여서는 아니 된다.

⑤ 우편사업이나 우편창구업무의 위탁에 관한 사항은 따로 법률로 정한다. 다만, 과학기술정보통신부장관은 우편창구업무 외의 우편업무의 일부를 대통령령으로 정하는 바에 따라 다른 자에게 위탁할 수 있다.

⑥ 다음 각 호의 어느 하나에 해당하는 사람은 ⑤의 단서에 따라 과학기술정보통신부장관이 위탁하는 업무 중 우편물을 집배하는 업무에는 종사할 수 없다.

1. 다음 각 목의 어느 하나에 해당하는 죄를 범하여 금고 이상의 실형을 선고받고 그 집행이 끝나거나(집행이 끝난 것으로 보는 경우를 포함한다) 면제된 날부터 최대 20년의 범위에서 범죄의 종류, 죄질, 형기의 장단 및 재범위험성 등을 고려하여 대통령령으로 정하는 기간이 지나지 아니한 사람

   가. 「특정강력범죄의 처벌에 관한 특례법」 제2조 제1항 각 호에 따른 죄

   나. 「특정범죄 가중처벌 등에 관한 법률」 제5조의2, 제5조의4, 제5조의5, 제5조의9 및 제11조에 따른 죄

   다. 「마약류 관리에 관한 법률」에 따른 죄

라. 「성폭력범죄의 처벌 등에 관한 특례법」 제2조 제1항 제2호부터 제4호까지, 제3조부터 제9조까지 및 제15조(제14조의 미수범은 제외한다)에 따른 죄

마. 「아동 · 청소년의 성보호에 관한 법률」 제2조 제2호에 따른 죄

2. 제1호에 따른 죄를 범하여 금고 이상의 형의 집행유예를 선고받고 그 유예기간 중에 있는 사람

⑦ 과학기술정보통신부장관은 ⑥에 따른 범죄경력을 확인하기 위하여 필요한 정보에 한정하여 경찰청장에게 범죄경력자료의 조회를 요청할 수 있다.

사업독점권 침해의 죄(우편법 제46조)

① 제2조 제2항 및 제3항을 위반하여 타인을 위한 서신의 송달 행위를 업으로 하거나 자기의 조직이나 계통을 이용하여 타인의 서신을 전달하는 행위를 한 자는 3년 이하의 징역 또는 3천만 원 이하의 벌금에 처한다.

② ①의 경우에 금품을 취득하였으면 그 금품을 몰수한다. 이를 몰수할 수 없을 때에는 그 가액을 추징한다.

③ 법인의 대표자, 대리인, 사용인, 그 밖의 종업원이 법인의 업무에 관하여 ①의 위반행위를 하면 그 행위자를 벌하는 외에 그 법인에도 해당 조문의 벌금형을 과한다. 다만, 법인이 그 위반행위를 방지하기 위하여 해당 업무에 관하여 상당한 주의와 감독을 게을리 하지 아니한 때에는 그러하지 아니하다.

④ 개인의 대리인, 사용인, 그 밖의 종업원이 그 개인의 업무에 관하여 ①의 위반 행위를 하면 그 행위자를 벌할 뿐만 아니라 그 개인에게도 해당 조문의 벌금형을 과한다. 다만, 개인이 그 위반행위를 방지하기 위하여 해당 업무에 관하여 상당한 주의와 감독을 게을리 하지 아니한 때에는 그러하지 아니하다.

우편특권 침해의 죄(우편법 제47조)

다음 각 호의 어느 하나에 해당하는 자는 100만원 이하의 벌금에 처한다.

① 제3조의2 제1항에 따른 우편물의 운송명령을 따르지 아니한 자

② 제4조 제1항 전단을 위반하여 정당한 사유 없이 우편운송원, 우편집배원 또는 우편관서 공무원의 조력 요구를 거부한 자

③ 제5조 제1항 · 제2항에 따른 통행을 방해한 자

④ 제5조 제4항을 위반하여 정당한 사유 없이 도선 요구를 거부한 자

⑤ 제9조를 위반하여 우선 검역을 하지 아니한 자

전시 우편특권 침해의 죄(우편법 제47조의2)

제4조 제2항을 위반하여 우편운송원 등의 조력 요구를 거부한 자는 100만원 이하의 벌금에 처한다.

우편물 등 개봉 훼손의 죄(우편법 제48조)

① 우편관서 및 서신송달업자가 취급 중인 우편물 또는 서신을 정당한 사유 없이 개봉, 훼손, 은닉 또는 방기하거나 고의로 수취인이 아닌 자에게 내준 자는 3년 이하의 징역 또는 3천만 원 이하의 벌금에 처한다.

② 우편업무 또는 서신송달업무에 종사하는 자가 ①의 행위를 하였을 때에는 5년 이하의 징역 또는 5천만 원 이하의 벌금에 처한다.

우편전용 물건 손상의 죄(우편법 제49조)

① 우편을 위한 용도로만 사용되는 물건이나 우편을 위한 용도로 사용 중인 물건에 손상을 주거나 그 밖에 우편에 장해가 될 행위를 한 자는 3년 이하의 징역 또는 3천만 원 이하의 벌금에 처한다.

② 우편업무에 종사하는 자가 ①의 행위를 하였을 경우에는 5년 이하의 징역 또는 5천만 원 이하의 벌금에 처한다.

우편취급 거부의 죄(우편법 제50조)

우편업무에 종사하는 자가 정당한 사유 없이 우편물의 취급을 거부하거나 이를 고의로 지연시키게 한 경우에는 1년 이하의 징역 또는 1천만 원 이하의 벌금에 처한다.

서신의 비밀침해의 죄(우편법 제51조)

① 우편관서 및 서신송달업자가 취급 중인 서신의 비밀을 침해한 자는 3년 이하의 징역 또는 3천만 원 이하의 벌금에 처한다.

② 우편업무 및 서신송달업무에 종사하는 자가 ①의 행위를 하였을 경우에는 5년 이하의 징역 또는 5천만 원 이하의 벌금에 처한다.

비밀 누설의 죄(우편법 제51조의2)

제3조(우편물 등의 비밀 보장)를 위반하여 비밀을 누설한 자는 5년 이하의 징역 또는 5천만 원 이하의 벌금에 처한다.

우표를 떼어낸 죄(우편법 제54조)

① 우편관서에서 취급 중인 우편물에 붙어 있는 우표를 떼어낸 자는 50만 원 이하의 벌금에 처한다.

② ①의 경우에 소인이 되지 아니한 우표를 떼어낸 자는 1년 이하의 징역 또는 1천만 원 이하의 벌금에 처한다.

과태료(우편법 제54조의2)

① 제2조 제4항을 위반하여 서신의 송달을 위탁한 자에게는 5천만 원 이하의 과태료를 부과한다.

② 다음의 어느 하나에 해당하는 자에게는 1천만 원 이하의 과태료를 부과한다.

1. 서신송달업의 신고를 하지 아니한 자
2. 제45조의3 제1항을 위반하여 유사명칭을 사용한 자
3. 제45조의3 제2항을 위반하여 타인에게 자기의 성명 또는 상호를 사용하여 서신송달업을 경영하게 한 자
4. 제45조의4를 위반하여 신고하지 아니하고 휴업 · 폐업 또는 휴업 후 재개업을 한 자
5. 제45조의7에 따른 자료제출 · 보고 또는 조사를 정당한 사유 없이 거부 · 방해 또는 기피한 자

③ 다음의 어느 하나에 해당하는 자에게는 50만 원 이하의 과태료를 부과한다.

1. 제32조 제2항을 위반하여 우편물의 수취를 거부한 자
2. 우편업무에 종사하는 자로서 중대한 과실로 인하여 우편물을 잃어버린 자

④ ①부터 ③까지에 따른 과태료는 대통령령으로 정하는 바에 따라 과학기술정보통신부장관이 부과 · 징수한다.

PART

02

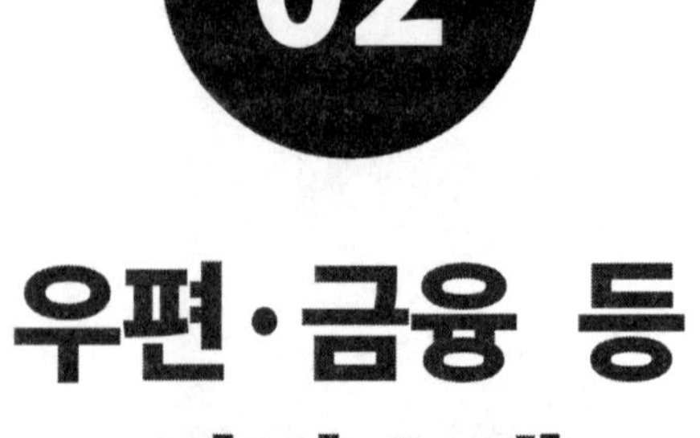

우편·금융 등 서비스에 대한 이해

01 우편 서비스

CHAPTER

우편 서비스 종류 #우편이용 수수료 #우편요금 #우표

01 우편 서비스의 개요

전국 어디에서나 공평하게 적정한 우편요금으로 서신과 물품 등의 우편물을 접수·배달하는 보편적 우편서비스로 국내통상(서신), 소포우편, 국제우편물을 접수·배달하는 기본서비스와 이에 부가하거나 부수적으로 제공되는 부가서비스 및 수탁서비스로 구분한다.

① **기본요금** : 통상우편 430원(25g), 등기소포 4,000원(3kg), 우체국 방문접수소포 5,000원(5kg)

② **부가서비스** : 등기 · 보험 · 증명취급, e-그린우편(전자우편), 모사전송 등

③ **수탁서비스** : 알뜰폰, 수입인지, 온누리(문화)상품권 등

02 우편 서비스의 종류

(1) 통상우편 서비스

서신 등 의사전달물, 통화(현금) 등의 우편물을 배달하는 서비스로 일반통상우편물과 등기통상우편물이 있다.

① **일반통상** : 우체통, 우체국 창구 등을 통하여 접수된 우편물로 기록취급하지 않으며 배달 시 수취인 우편함 등에 투함하는 우편물이다.

② **등기통상** : 접수 · 배달 등의 취급과정을 기록 · 관리하는 우편물로 배달 시 수취인의 서명을 받는 우편물이다.

(2) 소포우편 서비스

통상우편물을 제외한 물건을 포장한 우편물로 보통소포와 등기소포로 구분한다.

① **보통소포** : 취급과정을 기록하지 않으며, 우체국 창구에서만 접수한다.

② **등기소포** : 우체국 창구에서 접수하는 창구소포 및 고객의 방문접수 요청에 의한 방문소포가 있다.

(3) 국제우편 서비스

① 국외로 발송하는 우편물로 국제통상, 국제소포 및 국제특급 서비스 등이 있으며, 부가서비스로 등기취급 및 보험취급 등 가능하다.

② **국제특급** : 서류, 물품 등을 해외우정과의 특별협정 체결을 통해 가장 빠르고 안전하게 배송하는 서비스이다.

③ **등기취급 및 보험취급** : 유가증권 · 귀중품 등을 실제적 · 객관적 가치에 따라 보험취급하고, 분실 · 도난 · 훼손 시 보험가액의 범위내에서 실손해액을 배상하는 서비스이다.

03 우편요금 조정

(1) 요금조정 협의

① 우편요금 중 국내 · 국제 통상우편 요금은 「물가안정에 관한 법률」 제4조(공공요금 및 수수료의 결정)에 따라 기획재정부 장관과 협의한다.

② 국내소포, 국제소포, EMS 우편물에 관한 요금 및 수수료는 「우정사업 운영에 관한 특례법」에 따라 기획재정부 협의 없이 우정사업운영위원회 심의를 거쳐 조정한다.

(2) 우편요금

① 기획재정부장관 협의 후 과학기술정보통신부 장관이 결정한다.

② 감액은 우정사업본부장이 결정한다.

04 우표 발행

① **보통우표** : 우편서비스 제공에 대한 요금납부 증표로서 미리 발행량과 판매기간을 정하지 않고 수요에 따라 계속 발행하는 우표이다.

② **기념우표** : 역사적으로 중요한 인물 · 사건 및 뜻 깊은 일을 기념하거나 국가적인 사업의 홍보 및 국민정서의 함양 등을 위해 발행하는 우표이다.

③ **나만의 우표** : 우정사업본부장이 지정하여 공고한 우표형태에 개인의 사진 또는 기업의 로고 · 광고 등 원하는 내용을 넣어 제작하는 고객맞춤 우표이다.

④ **기념우표 발행절차**
   ㉠ **발행계획(안)** : 우정사업본부에서 자료를 수집한다.
   ㉡ **우표발행심의위원회 개최** : 대학교수 등 각계 전문가로 구성한다.
   ㉢ **디자인** : 내 · 외부 디자이너 또는 미대교수 등으로 구성한다.
   ㉣ **우표디자인 확정** : 우표발행심의위원회 위원의 선정 심의를 진행한다.
   ㉤ **인쇄** : 인쇄기관에서 인쇄를 한다.

05 우체국 쇼핑

① **정의** : 농어촌 지역의 특산품을 발굴하여 생산자와 소비자가 우편망을 통해 직거래를 하도록 하여 생산자에게 안정된 판로를 제공하고 지역경제 활성화에 기여한다. 우체국 쇼핑에서는 전국의 우체국을 통해 중간유통과정을 거치지 않은 엄선된 특산품과 일반 상품을 소비자에게 공급한다.

② **도입배경** : 1986년 12월 농산물수입개방 위기감이 높아지고 있을 때, 우리 농산물의 경쟁력을 높여 농어촌 지역경제 활성화를 도모하고자 도입한 공익적 우편서비스이다.

③ **서비스** : 특산품, 꽃배달, 장터, B2B, 제철식품, 전통시장 등에서 공급한다.

06 수탁서비스

① **도입배경** : 타기관 · 민간과 업무제휴를 통해 우체국에서 수입인지, 알뜰폰 등을 판매대행하여 국민편의 증대에 기여한다.

② **수탁상품** : 수입인지, 문화상품권, 분실핸드폰 주인 찾아주기, 온누리상품권, 우체국알뜰폰 등이 있다.

07 우편 정보화 및 자동화 현황

① **우편물류시스템** : 우편물의 접수에서 배달까지 전 과정을 통합관리하는 정보시스템으로 우편물의 처리 상황과 위치정보를 실시간으로 확인이 가능하다.

② **주요기능** : 접수관리, 운송관리, 배달관리, 우편물 종적추적 등이 있다.

③ **자동구분기** : 우편물 처리 생산성 향상을 통한 우편소통품질 향상을 위해 우편집중국(물류센터 포함)과 집배국에 우편물 자동구분 장비를 설치하여 운영하고 있다.

④ **무인접수기** : 우편물 접수 과정을 무인 · 자동화한 장비로서 고객 대기시간 단축과 우체국 영업시간 외에도 우편서비스를 제공하기 위해 우체국 내 · 외부에 설치하여 운영하고 있다.

⑤ **무인우체국** : 우편 접수와 수령 과정을 무인 · 자동화하여 고객에게 연중무휴로 우편물 접수와 배달서비스를 제공한다.

02 CHAPTER

국내우편

#우편물요금 및 수수료 #감액제도 #손해배상제도 #서신독점권

01 우편물요금 및 수수료

(1) 국내우편 통상우편물요금

구분		중량	보통우편요금
통상우편물	규격 우편물	5g까지	400원
		5g 초과 25g까지	430원
		25g 초과 50g까지	450원
	규격 외 우편물	50g까지	520원
		50g 초과 1kg까지	50g마다 120원 가산
		1kg 초과 2kg까지	200g마다 120원 가산
		2kg 초과 6kg까지	1kg마다 400원 가산

※ 1) 중량 50g 초과 시, 규격 외 우편물에 해당한다.
2) 국내특급은 30kg까지(6kg 초과 1kg마다 400원 가산)이다.
3) 50g까지 규격 외 엽서는 450원(규격봉투 25g 초과 50g까지 요금) 적용된다.

(2) 우편수수료

<table>
<tr><th colspan="2">종별</th><th>단위</th><th>수수료</th><th>비고</th></tr>
<tr><td colspan="2">등기취급/선택등기취급</td><td>1통</td><td>2,100원</td><td>우편요금에 가산</td></tr>
<tr><td colspan="2" rowspan="2">통화 등기
물품 등기
유가증권등기</td><td>5만 원까지</td><td>1,000원</td><td rowspan="2">1. 우편요금 및 등기수수료에 가산
2. 취급한도액
• 통화등기 : 10원 이상 100만 원 이하 현금
• 물품등기 : 10원 이상 300만 원 이하
• 유가증권등기 : 2,000만 원</td></tr>
<tr><td>5만 원 초과
매 5만 원마다</td><td>500원</td></tr>
<tr><td colspan="2" rowspan="2">내용증명</td><td>등본 1매</td><td>1,300원</td><td rowspan="2">우편요금 및 등기수수료에 가산</td></tr>
<tr><td>등본 1매
초과마다</td><td>650원</td></tr>
<tr><td rowspan="2">배달
증명</td><td>발송 시</td><td>1통</td><td>1,600원</td><td>왕복우편요금 및 등기수수료에 가산</td></tr>
<tr><td>발송 후</td><td>1통</td><td>1,600원</td><td>우편수령 시 우편요금 및 등기수수료에 가산</td></tr>
<tr><td colspan="2">특별송달</td><td>1통</td><td>2,000원</td><td>왕복우편요금 및 등기수수료에 가산</td></tr>
<tr><td colspan="2">사설우체통의 수집</td><td>1일 수집연거리
100m마다</td><td>5,000원</td><td>연 액</td></tr>
<tr><td>국내특급
(통상)</td><td>익일 특급</td><td>1통</td><td>1,000원</td><td>우편요금 및 등기수수료에 가산</td></tr>
<tr><td colspan="2">등기우편물의 반환</td><td>1통</td><td>등기
수수료</td><td></td></tr>
<tr><td colspan="2">민원우편(우편)</td><td>1통</td><td colspan="2">발송 시(우편요금 + 등기수수료 + 익일 특급수수료) + 회송 시(50g규격우편요금 + 등기수수료 + 익일 특급수수료)</td></tr>
<tr><td colspan="2">요금수취인부담</td><td colspan="3">당해 우편요금의 100분의 10에 해당하는 금액</td></tr>
<tr><td colspan="2" rowspan="2">모사전송(FAX) 우편</td><td>최초 1매</td><td>500원</td><td rowspan="2">복사비(우체국 복사기 이용 시)는 1매당 50원이다.</td></tr>
<tr><td>추가 1매마다</td><td>200원</td></tr>
</table>

⑶ e그린우편 등 이용에 관한 수수료

<table>
<tr><th colspan="4">구분</th><th>규격</th><th>수수료</th><th>비고</th></tr>
<tr><td rowspan="17">e그린우편</td><td rowspan="6">봉함식(소형봉투)</td><td rowspan="2">흑백</td><td>기본 1매</td><td>A4</td><td>90원</td><td rowspan="2">우편요금에 가산
(최대 6매까지 접수)</td></tr>
<tr><td>1매 초과 마다</td><td>A4</td><td>30원</td></tr>
<tr><td rowspan="2">칼라</td><td>기본 1매</td><td>A4</td><td>280원</td><td rowspan="2">우편요금에 가산
(최대 6매까지 접수)</td></tr>
<tr><td>1매 초과 마다</td><td>A4</td><td>180원</td></tr>
<tr><td rowspan="2">동봉 서비스</td><td>기본 1매</td><td>A4</td><td>20원</td><td rowspan="2">우편요금에 가산
(최대 6매까지 접수)</td></tr>
<tr><td>1매 초과 마다</td><td>A4</td><td>10원</td></tr>
<tr><td rowspan="5">봉함식(대형봉투)</td><td rowspan="2">흑백</td><td>기본 1매</td><td>A4</td><td>130원</td><td rowspan="2">우편요금에 가산
(최대 150매까지 접수)</td></tr>
<tr><td>1매 초과 마다</td><td>A4</td><td>30원</td></tr>
<tr><td rowspan="2">칼라</td><td>기본 1매</td><td>A4</td><td>340원</td><td rowspan="2">우편요금에 가산
(최대 150매까지 접수)</td></tr>
<tr><td>1매 초과 마다</td><td>A4</td><td>180원</td></tr>
<tr><td>동봉 서비스</td><td>1매 초과 마다</td><td>A4</td><td>15원</td><td>우편요금에 가산
(최대 20매까지 접수)</td></tr>
<tr><td rowspan="5">접착식</td><td rowspan="3">흑백</td><td>단면</td><td>A4/B5</td><td>60원</td><td rowspan="3">우편요금에 가산</td></tr>
<tr><td>양면</td><td>A4/B5</td><td>80원</td></tr>
<tr><td>폼지*</td><td>A4/B5</td><td>30원</td></tr>
<tr><td rowspan="2">칼라</td><td>단면</td><td>A4</td><td>220원</td><td rowspan="2">우편요금에 가산</td></tr>
<tr><td>양면</td><td>A4</td><td>370원</td></tr>
<tr><td colspan="2">그림엽서</td><td>1통</td><td>가로 148mm
세로 105mm</td><td>40원</td><td>우편요금에 가산</td></tr>
</table>

※ 1) 예시된 요금은 5g 초과 25g 까지의 통상규격보통우편물 기준이다.
2) 소포우편물은 별도 요금 적용된다.
3) 「폼지」 서비스 : 고객이 제공한 용지(폼지)에 내용을 인쇄하는 서비스이다.

02 국내소포 요금표

(1) 창구접수 등기소포

(단위 : 원)

구분		80cm 이하	80~100cm		100~120cm				120~160cm
		3kg 이하	3~5kg	5~7kg	7~10kg	10~15kg	15~20kg	20~25kg	25~30kg
익일배달		4,000	4,500	5,000	6,000	7,000	8,000	10,000	12,000
제주	익일 배달	6,500	7,000	7,500	8,500	9,500	10,500	12,500	14,500
	D+2 배달	4,000	4,500	5,000	6,000	7,000	8,000	10,000	12,000

(2) 창구접수 일반소포

(단위 : 원)

구분	80cm 이하	80 ~ 100cm		100 ~ 120cm				120 ~ 160cm
	3kg 이하	3 ~ 5kg	5 ~ 7kg	7 ~ 10kg	10 ~ 15kg	15 ~ 20kg	20 ~ 25kg	25 ~ 30kg
D + 3 배달	2,700	3,200	3,700	4,700	5,700	6,700	8,700	10,700

(3) 방문접수(부가가치세 포함)

(단위 : 원)

구분		5kg 이하 (80cm 이하)	5 ~ 10kg (80 ~ 100cm)	10 ~ 20kg (100 ~ 120cm)	20 ~ 30kg (120 ~ 160cm)
익일배달		5,000	8,000	10,000	13,000
제주	익일배달	7,500	10,500	12,500	15,500
	D + 2 배달	5,000	8,000	10,000	13,000

(4) 소포이용에 관한 수수료

① 부가이용 수수료(등기소포를 전제로 취급지역에 한함)

구분	착불소포	안심소포
수수료(1개당)	500원	1,000원 + 손해배상한도액 초과 시 10만 원마다 500원

※ 배달증명, 환부수수료는 국내통상 우편에 관한 수수료 적용한다.

② 소포요금 감액(창구등기소포 · 방문접수 요금을 전제로 부가취급수수료를 제외한 금액)

<table>
<tr><th colspan="2">구분</th><th>3%</th><th>5%</th><th>10%</th><th>15%</th><th>비고</th></tr>
<tr><td rowspan="2">창구접수</td><td>요금즉납</td><td>1 ~ 2개</td><td>3개 이상</td><td>10개 이상</td><td>50개 이상</td><td rowspan="2">우체국 쇼핑 특산물 20%</td></tr>
<tr><td>요금후납</td><td>–</td><td>70개 이상</td><td>100개 이상</td><td>130개 이상</td></tr>
<tr><td>방문접수</td><td>접수정보 사전연계</td><td colspan="5">개당 500원 감액
(고객이 직접 모바일 등으로 접수정보 입력, 사전결제, 픽업 장소지정 시)</td></tr>
<tr><td>분할접수</td><td colspan="6">중량 20kg 초과 소포 1개를 2개로 분할하여 접수할 경우(△ 2,000원) 감액
※ 동일 시간대, 동일 발송인, 동일 수취인이고, 분할한 소포 1개의 무게는 10kg을 초과할 것</td></tr>
</table>

③ 이용 시 유의사항

㉠ 중량은 최대 30kg 이하이며, 크기(가로, 세로, 높이의 합)는 최대 160cm 이하이다. 다만, 한 변의 최대 길이는 100cm이내에 한하여 취급한다.

㉡ 일반소포는 등기소포와 달리 기록취급이 되지 않으므로 분실 시 손해배상이 되지 않는다.

㉢ 중량 · 크기 중 큰 값을 기준으로 다음 단계의 요금을 적용한다.

㉣ 도서지역 등 특정지역의 배달 소요기간은 위 내용과 다를 수 있다.

03 우편요금 감액제도

(1) 정기간행물 우편요금 감액대상

① 신문 등의 진흥에 관한 법률(이하 '신문법'이라 함) 제2조 제1호에 따른 신문(관련된 호외 부록 또는 증간을 포함)과 잡지 등 정기 간행물의 진흥에 관한 법률(이하 '잡지법'이라함) 제2조 제1호 가목 나목 및 라목의 정기간행물(관련된 호외 · 부록 또는 증간을 포함)이다.

㉠ 발행주기를 일간 · 주간 또는 월간으로 하여 월 1회 이상 정기적으로 발송해야 한다.

㉡ 요금별납 또는 요금후납 일반우편물로서 무게와 규격이 같아야 한다.

② 다음에 해당하는 우편물은 우편요금 감액우편물에서 제외한다.

㉠ 「신문법」 제9조에 따라 등록하지 않은 신문과 「잡지법」 제15조와 제16조에 따라 등록 또는 신고하지 않은 정기간행물(이하 '미등록물'이라 함), 「잡지법」 제16조에 따라 신고한 정보간행물 및 기타간행물(이하 '잡지외간행물'이라 함) 중 상품의 선전 및 그에 관한 광고(이하 '광고'라 함)가 앞 · 뒤표지 포함 전지면의 60%를 초과하는 정기간행물이다.

㉡ 우편물의 내용 중 받는 사람에 관한 정보나 서신 성격의 안내문이 포함되어 있는 경우이다.

(2) 서적우편물, 다량우편물 및 상품광고우편물 감액대상

① 서적우편물

㉠ 표지를 제외한 쪽수가 48쪽 이상인 책자의 형태로 인쇄 제본되어 발행인 · 출판사 또는 인쇄소의 명칭 중 어느 하나와 쪽수가 각각 표시되어 발행된 종류와 규격이 같은 서적으로서 'Ⅱ.우편요금 감액요건'을 갖춰 접수하는 요금별납 또는 요금후납 일반우편물이다. 다만 상품의 선전 및 광고가 전지면의 10%를 초과하는 것은 감액대상에서 제외한다.

㉡ 공중이 이용할 수 있도록 가격정보 또는 국제표준도서번호(International Standard Book Number : ISBN), 국제표준일련간행물번호(International Standard Serial Number : ISSN)가 인쇄된 출판물에 대해 감액을 적용한다.

㉢ 비정기적으로 발간되는 출판물에 대해서만 감액을 적용한다. 다만, 「정기간행물의 우편요금 감액대상, 감액범위, 감액요건 등에 관한 고시」에 따라 감액을 적용 받지 않는 정기간행물(격월간, 계간 등)은 비정기적 간행물로 간주한다.

㉣ 우편물의 표면 왼쪽 중간 부분에 '서적'이라고 표기해야 한다.

㉤ 우편엽서, 빈 봉투, 지로용지, 발행인(발송인) 명함은 각각 1장만 동봉 가능하고, 이를 본지 및 부록과 함께 제본할 때는 수량의 제한이 없다.

㉥ 우편물에는 본지의 게재내용과 관련된 물건(이하 '부록'이라 함)을 첨부하거나 제본할 수 있다.

1) 부록은 본지에는 부록이 첨부되었음을 표시하고, 부록의 표지에는 '부록'이라고 표기해야 한다.
2) 부록을 본지와 별도로 발송하거나 부록임을 판단하기 어려운 경우에는 감액을 받을 수 없다.

㉦ 본지, 부록 등을 포함한 우편물 1통의 총 무게는 1,200g을 초과할 수 없으며, 본지 외 내용물(부록, 기타 동봉물)의 무게는 본지의 무게를 초과해서는 안 된다.

㉧ 서신성 인사말, 안내서, 소개서, 보험안내장을 본지(부록 포함)에 제본하거나 동봉하는 우편물은 감액을 받을 수 없다.

㉨ 환부불필요 감액 대상이 아니다.

② **다량우편물** : 우편물의 종류, 무게 및 규격이 같고, 'Ⅱ.우편요금 감액요건'을 갖춰 접수하는 요금별납 또는 요금후납 일반우편물이다.

③ **상품광고우편물**

㉠ 상품의 광고에 관한 우편물로서 종류와 규격이 같고, 'Ⅱ.우편요금 감액요건'을 갖춰 접수하는 요금별납 또는 요금후납 일반우편물이다.

㉡ 부동산을 제외한 유형상품에 대한 광고를 수록한 인쇄물(별도 쿠폰 동봉) 또는 시디(CD)(디브이디(DVD) 포함)에 대해서만 감액을 적용한다.

(3) 등기통상우편물 감액대상

① 정의

㉠ 일반등기 : 우편물의 취급과정을 기록에 의하여 명확히 하는 우편물의 특수취급제도이다.

㉡ 계약등기 : 등기취급을 전제로 우체국장과 발송인과의 별도의 계약에 따라 접수한 통상우편물을 배달하고, 그 배달결과를 발송인에게 전자적 방법 등으로 통지하는 특수취급제도이다. 부가취급서비스로는 착불배달, 회신우편, 본인지정 배달, 우편주소 정보를 제공하는 것이 있다.

㉢ 일반형 계약등기 : 등기취급을 전제로 부가취급서비스를 선택적으로 포함하여 계약함으로써, 고객이 원하는 우편서비스를 제공하는 상품이다.

㉣ 맞춤형 계약등기 : 등기취급을 전제로 신분증류 등 배달시 특별한 관리나 서비스가 필요한 우편물로 표준요금을 적용하는 상품이다. 계약에 따라 부가취급서비스 이용시 요금에 포함된다.

② 취급 우체국

㉠ 일반등기 · 선택등기 : 전 우체국(집중국 및 취급국 포함)

㉡ 계약등기(일반형, 맞춤형) : 계약 체결 우체국

우편집중국 및 5급 이상 공무원을 장으로 하는 관서에서 계약가능하며, 맞춤형 계약등기는 소속국(별정국, 취급국 제외)도 접수관서로 계약이 가능하다.

③ 접수물량기준

㉠ 일반등기 : 요금별납 또는 요금후납이고, 1회에 10통 이상 발송하는 등기우편물이다.

㉡ 계약등기 : 1회 500통 이상이고 월 10,000통 이상 발송하는 일반 및 맞춤형 계약등기 우편물이다.

㉢ 선택등기 : 요금별납 또는 요금후납이고, 1회에 10통 이상 발송하는 등기우편물로 하되, 1회 100통 이상인 경우 접수물량 감액이 적용된 등기이다.

④ 우편물 제출요건 : 1회 접수하는 우편물은 그 크기와 무게가 같아야 하고, 등기번호 순서대로 제출한다.

⑤ 계약등기 감액 제외사항

㉠ 착불배달을 이용하는 경우

㉡ 우체국 직원이 계약기관 및 계약기관의 소속기관 등을 방문하여 우편요금을 수납하는 경우

㉢ 협약 또는 계약에 따라, 우편물 발송기관이 우편관서를 대신하여 수취인으로부터 우편요금을 수납하여 우편관서에 납부하는 경우

(4) 상품안내서(카탈로그)우편물 감액대상

① 중량 · 규격이 같은 16면 이상(표지 포함)의 책자 형태로서 상품의 판매를 위해 가격 · 기능 · 특성 등을 문자 · 사진 · 그림으로 인쇄한 요금후납 일반우편물이다.

② 상품안내서(카탈로그) 한 면의 크기는 최소 120㎜×190㎜ 이상, 최대 255㎜×350㎜ 이하, 두께는 20㎜ 이하이어야 한다.

③ 상품안내서(카탈로그) 중 최대 · 최소 규격의 범위를 벗어나는 내용물이 전지면의 10%를 초과하지 못한다.

④ 책자 형태에 포함되지 않은 추가 동봉물은 8매까지 인정한다.

⑤ 우편물 1통의 무게는 1,200g을 초과할 수 없으며, 추가 동봉물은 상품안내서(카탈로그)의 무게를 초과하면 안 된다.

⑥ 봉함된 우편물 전체의 내용은 광고가 80% 이상이어야 한다.

(5) 생활정보홍보우편 서비스 감액대상

① 서비스 요건

㉠ 생활정보홍보우편은 「우편법 시행규칙」 제85조 제1호사목의 상품광고우편물의 맞춤형서비스로서 일정지역 내(배달우체국 관할)의 불특정 수취인(세대주 등)에게 생활정보에 관한 상품(재화 · 용역)의 홍보물(광고전단지, 카탈로그, 쿠폰북 등)을 일반통상우편물로 취급하여 발송하는 서비스이다.

㉡ 고객이 우편물의 제작부터 발송까지 처리를 우체국에 위탁하여 제작하거나, 직접 제작하여 배달우체국 등에 접수하여 발송한다.

② 서비스 이용이 제한되는 우편물

㉠ 받는 사람의 개인정보(실명, 전화번호 등)가 기재된 우편물 등

㉡ 「우편법」 제17조(우편금지물품, 우편물의 용적 · 중량 및 포장 등)에 따라 접수가 제한되는 우편물

㉢ 그 밖에 사회적으로 물의를 일으킬 수 있다고 판단되는 내용이 포함된 우편물

04 우편물 손해배상제도

(1) 개요

① 우편 서비스 이용에 따른 분실, 훼손, 지연배달 시 손해배상에 관련된 사항이다.

② 피해구제의 대상과 지급범위를 현실에 맞게 강화한다.

③ 우편물 손해배상 제도 기준일 : 2018년 8월

(2) 이용방법

① 손 · 망실 : 우체국 방문신청(본인여부 등 확인)

② 지연배달 : 콜센터(1588－1300), 우체국에 신고

(3) 고객응대서비스

구분	손해배상 지급사유	손해배상 또는 실비지급액
모든 우편	우체국 직원의 잘못이나 불친절한 안내 등으로 2회 이상 우체국을 방문하였음을 신고한 때	10,000원 상당의 문화상품권 등 지급
EMS	동일 발송인에게 월 2회 이상 손 · 분실 발생 시	무료발송권(1회 10kg까지)
	종 · 추적조사 및 손해배상 응대 3일 이상 지연 시	무료발송권(1회 3만 원권)

※ 손해배상액은 한도액 범위 내에서 실제 손해액을 배상한다.

(4) 국내우편 서비스

구분		손 · 망실	지연배달
통상	일반	없음	없음
	준등기	5만 원 이내 실제 손해액	없음
	등기	10만 원 이내 실제 손해액	D + 5일 배달분부터 우편요금 및 등기취급 수수료
	익일 특급	10만 원 이내 실제 손해액	D + 3일 배달분부터 우편요금 및 국내특급 수수료
소포	일반	없음	없음
	등기	50만 원 이내 실제 손해액	D + 3일 배달분부터 우편요금 및 등기취급 수수료

※ 1) D : 우편물 접수일, 송달기간에는 공휴일, 우정사업본부장이 배달하지 아니하기로 정한 날 등은 제외한다.
2) 설, 추석 및 천재지변 등 불가항력으로 인하여 지연 배달되는 경우는 제외한다.

(5) **국제우편 서비스**

<table>
<tr><th>종류별</th><th>손해배상의 범위</th><th>배상금액</th></tr>
<tr><td rowspan="2">등기우편물</td><td>분실, 전부 도난 또는 전부 훼손된 경우</td><td>52,500원 범위 내의 실손해액과 납부한 우편요금(등기료 제외)</td></tr>
<tr><td>일부 도난 또는 일부 훼손된 경우</td><td>52,500원 범위 내의 실손해액</td></tr>
<tr><td rowspan="2">등기우편낭 배달인쇄물</td><td>분실, 전부 도난 또는 전부 훼손된 경우</td><td>262,350원과 납부한 우편요금(등기료 제외)</td></tr>
<tr><td>일부 도난 또는 일부 훼손된 경우</td><td>262,350원 범위 내의 실손해액</td></tr>
<tr><td rowspan="2">보통소포 우편물</td><td>분실, 전부 도난 또는 전부 훼손된 경우</td><td>70,000원에 1kg당 7,870원을 합산한 금액 범위 내의 실손해액과 납부한 우편요금</td></tr>
<tr><td>일부 분실 · 도난 또는 일부 훼손된 경우</td><td>70,000원에 1kg당 7,870원을 합산한 금액 범위 내의 실손해액</td></tr>
<tr><td rowspan="2">보험서장 및 보험소포 우편물</td><td>분실, 전부 도난 또는 전부 훼손된 경우</td><td>보험가액 범위 내의 실손해액과 납부한 우편요금(보험취급수수료 제외)</td></tr>
<tr><td>일부 분실, 도난 또는 일부 훼손된 경우</td><td>보험가액 범위 내의 실손해액</td></tr>
<tr><td rowspan="5">국제특급 우편물</td><td>내용품이 서류인 국제특급우편물이 분실된 경우</td><td>52,500원 범위 내의 실손해액과 국제특급우편요금</td></tr>
<tr><td>내용품이 서류인 국제특급우편물이 일부 도난 또는 훼손된 경우</td><td>52,500원 범위 내의 실손해액과 납부한 국제특급우편요금</td></tr>
<tr><td>내용품이 서류가 아닌 국제특급우편물이 분실, 도난 또는 훼손된 경우</td><td>70,000원에 1kg당 7,870원을 합산한 금액 범위 내의 실손해액과 납부한 국제특급우편요금</td></tr>
<tr><td>보험 취급한 국제특급우편물이 분실, 도난 또는 훼손된 경우</td><td>보험가액 범위 내의 실손해액과 납부한 국제특급우편요금(보험취급수수료 제외)</td></tr>
<tr><td>배달예정일보다 48시간 이상 지연배달된 경우
※ 단, EMS 배달보장서비스는 배달예정일보다 지연배달된 경우</td><td>납부한 국제특급우편요금(보험취급수수료 제외)</td></tr>
</table>

※ 설, 추석 및 천재지변 등 불가항력으로 인하여 지연배달 되는 경우는 제외한다.

05 서신독점권

(1) 서신독점권의 의미

국가기관인 우체국에서만 서신을 취급할 수 있도록 법으로 보장한 제도를 말한다. 단, 「우편법」에 별도로 서신취급이 허용된 경우에는 제외한다. 여기서 서신은 의사전달을 위하여 특정인이나 특정 주소로 송부하는 것으로서 문자 · 기호 · 부호 또는 그림 등으로 표시한 유형의 문서 또는 전단을 말한다. 단, 대통령령으로 정하는 신문, 정기간행물, 서적, 상품안내서 등은 서신 대상에서 제외한다.

(2) 서신독점의 범위

① 중량 350g 이하, 기본통상우편요금의 10배 이하의 서신이다.

② 국가기관이나 지방자치단체에서 발송하는 등기취급 서신은 서신독점권 범위에 포함한다.

(3) 서신독점의 법적 근거

① 「우편법」 제1조의2(정의) 제7호 : '서신'이란 의사전달을 위하여 특정인이나 특정 주소로 송부하는 것으로서 문자 · 기호 · 부호 또는 그림 등으로 표시한 유형의 문서 또는 전단을 말한다. 다만, 신문, 정기간행물, 서적, 상품안내서 등 대통령령으로 정하는 것은 제외한다.

② 「우편법」 제2조(경영주체와 사업의 독점 등)

③ 「우편법」 제45조의2(서신송달업의 신고 등)

④ 「우편법」 제46조(사업독점권 침해의 죄)

⑤ 「우편법」 제54조의2(과태료)

(4) 국가의 서신독점 필요성

① **보편적 우편 서비스의 제공** : 전국에 걸쳐 모든 국민에게 공평하고 적정한 요금으로 우편물을 보내고 받을 수 있는 기본적인 우편 서비스를 안정적으로 제공한다.

② **서비스 제원 마련** : 대도시뿐만 아니라 중소도시, 도서 및 산간벽지 등 모든 지역에서 동일한 요금으로 공평한 서비스를 이용할 수 있도록 시설유지 및 관리를 위한 재원 마련이 필요하다.

(5) 서신송달업 신고 제도

① 서신독점권 범위 완화에 따라 시장에 참여하는 사업자에게 개방된 범위에서 사업을 수행하도록 관리하고 이용자 보호 및 시장질서 유지를 위한 제도이다.

② **신고대상** : 중량이 350g을 넘거나 기본통상우편요금의 10배를 넘는 서신송달업을 하려는 자

③ **신고처** : 관할 지방우정청(신고후 5일 이내 신고필증 발급)

④ **신고사항**(휴 · 폐업 신고 포함)

㉠ 사업운영 및 시설에 대한 사항, 수지계산서를 포함한 사업계획서를 첨부한 신고서를 제출한다.

㉡ 다음의 자료에 대해 지방우정청장의 자료제출 요구 시 응해야 한다.

- 서신의 취급물량, 매출액, 중량 및 요금 등 사업운영에 관한 사항
- 영업소, 대리점 및 작업장 등 시설에 관한 사항
- 그 밖에 서신송달업의 지도 · 지원을 위하여 필요한 사항

⑤ 신고를 하지 아니하고 서신송달업을 하거나, 자료제출 요구에 불응시 1천만 원 이하의 과태료에 처한다.

(6) 서신독점권 신고 예외 대상

① **「신문 등의 진흥에 관한 법률」에 따른 신문** : 정치 · 경제 · 사회 · 문화 · 산업 · 과학 · 종교 · 교육 · 체육 등 전체 분야 또는 특정 분야에 관한 보도 · 논평 · 여론 등을 전파하기 위하여 같은 명칭으로 월 2회 이상 발행하는 간행물로 일반일간신문, 특수일간신문, 일반주간신문, 특수주간신문이다.

② **「잡지 등 정기간행물의 진흥에 관한 법률」에 따른 정기간행물 잡지** : 정치 · 경제 · 사회 · 문화 · 산업 · 과학 · 종교 · 교육 · 체육 등 전체 분야 또는 특정 분야에 관한 보도 · 논평 · 여론 등을 전파하기 위하여 동일한 제호로 월 1회 이하 정기적으로 발행하는 책자 형태의 간행물이다.

③ 다음의 요건을 모두 충족하는 서적

㉠ 표지를 제외한 48쪽 이상인 책자의 형태로 인쇄 · 제본되었을 것

㉡ 발행인 · 출판사나 인쇄소의 명칭 중 어느 하나가 표시되어 발행되었을 것

㉢ 쪽수가 표시되어 발행되었을 것

④ 상품의 가격 · 기능 · 특성 등을 문자 · 사진 · 그림으로 인쇄한 16쪽 이상(표지 포함) 책자 형태의 상품 안내서이다.

⑤ 화물에 첨부하는 봉하지 아니한 첨부서류 또는 송장이다.

⑥ 외국과 주고받는 국제서류이다.

⑦ 국내에서 회사(「공공기관의 운영에 관한 법률」에 따른 공공기관을 포함)의 본점과 지점간 또는 지점 상호 간에 주고받는 우편물로서 발송 후 12시간 이내에 배달이 요구되는 상업용 서류이다.

⑧ 여신전문금융업법에 해당하는 신용카드이다.

06 분실 핸드폰 찾아주기

(1) 분실 핸드폰 주인 찾아주기 서비스 의미

핸드폰을 습득한 경우 가까운 우체국으로 방문하여 습득신고서를 작성하고 제출하면, 한국정보통신진흥협회의 핸드폰 찾기 콜센터에서 원주인에게 핸드폰을 찾아주는 서비스이다.

(2) 처리절차

① **습득자** : 분실폰 처리 절차 습득자는 습득한 핸드폰을 가까운 우체국에 신고한다.

> 습득자 사은품 → 신형은 1만 원, 구형은 5천 원 상당의 문화상품권 제공

② **우체국** : 우체국에 접수된 핸드폰은 핸드폰 찾기 콜센터로 전달한다.

> 우체국 접수사항 안내 → 분실자 우체국 방문수령 가능

③ **핸드폰 찾기 콜센터** : 핸드폰 찾기 콜센터에서 분실자를 확인하여 연락한다.

> 연락방법 → 가입 · 분실신고서에 남긴 연락처로 전화 및 문자연락

④ **분실자** : 분실자에게 핸드폰이 전달된다.

> 전달방법 → 우체국 착불택배 또는 핸드폰 찾기 콜센터 방문수령

07 시각장애인용 무료우편

(1) 무료 우편 가능한 우편물 종류

① **점자** : 종이 위에 도드라진 점들을 모아 만든 시각장애인용 점자만 허용하나, 책표지에는 점자와 묵자 혼용도 가능하다.

② **점자묵자 혼용물**

㉠ 묵자는 점자를 해석한 것을 전제로 하며 점자 분량을 넘을 수 없다.

㉡ 묵자는 점자에 병기해서 표기하거나, 별도 페이지에 수록할 수 있으나, 한 가지 내용의 점자 · 묵자는 하나로 제본되어 있어야 한다.

㉢ 일반문자나 그림을 그대로 돋아낸 것도 묵자의 일종으로 판정한다.

③ **시각장애인용 녹음물** : 영상 없이 음성만 포함된 녹음물이다.

(2) 무료발송 가능한 발송인 및 필요한 사항

① 점자

㉠ 발송인 : 누구든지 가능하다.

㉡ 필요한 사항 : 우편물의 표면 오른쪽 윗부분에 "시각장애인용 우편"이라 표시해야 한다.

② 점자 · 묵자혼용물 및 시각장애인용 녹음물

㉠ 발송인 : 법률에 따라 설치되거나 허가등록신고 등을 한 법인 · 단체 또는 시설에서만 가능하다.

㉡ 필요한 사항 : 우편물 표면 오른쪽 윗부분에 "시각장애인용 우편"이라 표시하고, 우편물에 시각장애인 복지지관의 법인설립인가 번호를 표시한다.

08 기타 서비스

(1) 민원우편

① 정의 : 정부 각 기관에서 발급하는 민원서류를 우체국을 통하여 신청하고, 발급된 민원서류를 집배원이 각 가정이나 직장에 배달하는 제도이다.

② 이용대상 민원서류 : 공 · 사립학교 졸업증명서, 납세완납증명, 토지(임야)대장열람등본교부, 병적증명서, 경력증명서 등 행정기관 및 각 학교에서 발급하는 민원서류 등이 있다.

③ 이용방법

㉠ 우체국 창구에 비치된 신청서에 민원발급신청 내용 기재(창구직원이 직접 안내)한다.

㉡ 민원우편봉투를 구입하여 우편으로 신청한다.

㉢ 민원발급 수수료를 신청서와 동봉 발송(송금료 면제)한다.

④ 처리절차

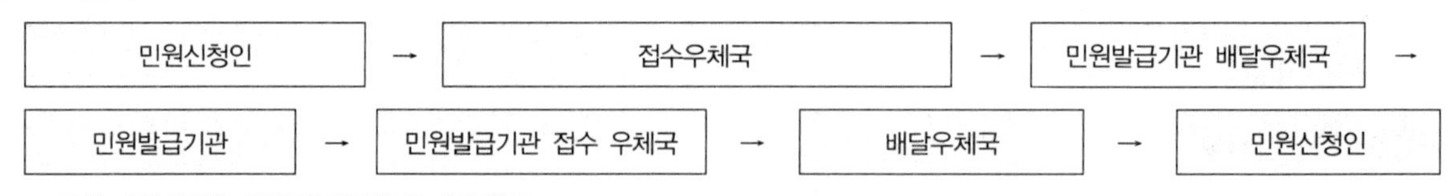

※ 모든 송달과정은 국내특급우편으로 취급한다.

(2) 국내특급우편

① 정의 : 등기취급을 전제로 국내특급우편 취급지역 상호 간에 수발하는 긴급을 요하는 우편물로서 통상의 송달방법보다 빠르게 송달하기 위하여 접수된 우편물을 약속한 시간 내에 신속히 배달하는 특수취급제도로 익일 특급이 있다.

② 익일 특급 : 우체국장이 공고한 '오늘출발우편물 접수마감시간'전까지 접수한 우편물은 익영업일(제주는 D+2일) 중에 수취인에게 첫 배달시도가 된다.

③ 참고사항

㉠ 30kg까지 보낼 수 있다.

㉡ 평일 우체국 업무시간은 평일 09:00 ~ 18:00이다.

(3) 모사전송FAX우편

① 정의 : 우체국을 통해 팩스를 주고받을 수 있는 우편 서비스로서 시내 · 시외 동일요금을 적용한다.

② 이용방법 : FAX(모사전송) 이용신청서 작성(발송인 성명, 전화번호, 수취인 성명, FAX번호)하여 우체국에서 이용한다. 수수료는 현금으로 납부하여야 한다. 전국 우체국에서 이용이 가능하지만 우편취급국은 취급하지 않으며, 군부대 소재 우체국은 우정사업본부장이 고시하는 우체국에 한해 이용이 가능하다.

③ 특징

㉠ 원고(문장이나 도표 등)를 쓴 그대로 전송하므로 생생한 사실감을 가진다.

㉡ 저렴한 요금으로 다량 전송이 가능하다.

④ FAX(모사전송)우편 수수료

구분	수수료		비고
	최초 1매	추가 1매마다	
FAX	500원	200원	우체국 FAX → 수취인 FAX
복사비	1매당 50원		우체국 복사기 이용 시

(4) e - 그린우편

① 정의 : 편지내용문과 주소록을 디스켓에 담아 우체국 또는 인터넷 우체국을 통해 접수하면 내용문 출력부터 봉투에 넣어 배달해주는 전 과정을 우체국에서 대신하여 주는 서비스이다.

② 이용방법 : 우체국 창구 및 인터넷 우체국에서 이용이 가능하다.

(5) 우체국축하카드

① 정의 : 바쁜 일상생활 때문에 직접 찾아가서 축하 또는 애도의 뜻을 전하기 힘든 고객을 위해 우체국 축하카드에 다양한 메시지를 담아 수취인에게 배달하는 서비스이다.

② 이용방법 : 인터넷우체국에 접속하거나 우체국앱에 접속한다.

③ 카드 종류 : 일반/고급카드(10종), 축하선물카드(7종), 맞춤형카드(3종)이 있다.

(6) 기타특수취급우편제도

종별	대상	내용
등기	중요한 우편물을 보낼 때	접수 – 배달까지 기록 취급(수령증 발급)한다.
통화등기 물품등기	현금, 값비싼 물품 등을 발송할 때	• 통화등기 100만 원 이내 • 물품등기 300만 원 이내 • 우체국까지 찾으러 가지 않고 집에서 받는다. • 우체국에서 판매하는 봉투를 사용한다. • 우체국의 과실로 망실한 경우 표기금액을 배상한다.
유가증권등기	수표류, 우편환증서, 기타 유가증권을 발송할 때	• 2,000만 원 이내 • 우체국에서 판매하는 봉투를 사용한다. • 우체국의 과실로 망실한 경우 표기금액을 배상한다.
내용증명	우편물의 내용을 증명하여 후일 법률상의 증거로 이용하고자 할 때	• 내용문서 원본 및 등본 2통을 제출한다. • 발송 후 3년까지 우체국에서 증명한다.
배달증명	수취인에게 우편물을 배달 또는 교부한 사실이나 결과를 알고 싶을 때	등기우편물을 배달한 우체국에서 그 배달일자와 수령자의 성명 등을 기재한 배달증명서를 발송인에게 보낸다.

(7) 우편물종적조회안내

① 정의 : 등기우편물의 배달 사실의 증명이 필요하게 된 경우에 발송인 또는 수취인이 1년 이내에 배달증명을 발송우체국 또는 배달우체국에 청구하는 제도이다. 단순한 배달 사실 확인은 전화로 문의가 가능하다.

② 이용방법 : 배달증명이 필요한 경우 발송우체국에 신청한다.

- 배달증명 청구서를 제출한다.
- 발송인 또는 수취인에 한하여 신청이 가능하다.
- 발송한 다음날로부터 가산하여 1년 이내이다.

③ 취급 수수료 : 통상왕복 기본요금 및 왕복 등기취급 수수료

(8) 주거이전 우편물 전송 서비스

① 정의 : 수취인의 주소가 변경된 경우 우체국 창구, 인터넷 우체국 및 읍 · 면 · 동 주민센터(전입신고 시)에서 신청하면 이전한 주소지로 우편물을 전송해 주는 서비스이다.

② 수수료 : 이사 등에 따라 타 권역으로 우편물 전송 신청을 하거나, 서비스 기간을 3개월 단위로 연장하는 경우에는 서비스 이용 수수료가 다음과 같이 부과된다.

구분	동일권역		타권역	
	3개월 이내	3개월 연장	3개월 이내	3개월 연장
개인(1인당)	무료	4,000원	7,000원	7,000원
단체(법인, 사업자)	무료	53,000원	70,000원	70,000원

※ 전송 서비스를 3개월 이상 연장할 경우 우체국 창구 또는 인터넷우체국을 통해 신청하여야 한다.

③ 권역구분

권역	지역	권역	지역
수도권역	경기도, 서울특별시, 인천광역시	강원권역	강원도
충북권역	충청북도	충남권역	충청남도, 대전광역시, 세종특별자치시
전북권역	전라북도	전남권역	전라남도, 광주광역시
경북권역	경상북도, 대구광역시	경남권역	경상남도, 부산광역시, 울산광역시
제주권역	제주특별자치도		

④ 신청방법 : 우체국 창구를 방문하여 주거이전신고서를 작성하여 신청하거나 인터넷 우체국을 통해 신청한다.

⑤ 유의사항

㉠ 우편물 전송 서비스는 주거이전 대상자에게 전송을 시작한 날부터 3개월간 제공하며 서비스 종료일 3일 전까지 연장신고가 없으면 우편물은 3개월이 종료되는 날의 다음날부터 발송인에게 반송, 발송인에게 미리 이전한 곳을 알려야 한다.

㉡ 우편물 전송 개시일을 적지 않을 경우 접수한 다음날부터 3일이 지난 뒤(공휴일 제외)에 우편물 전송 서비스가 시작된다.

㉢ 기관 · 법인 · 단체 등이 주거이전 신청을 한 경우에는 기관 · 법인 · 단체 등의 명의가 적혀있지 않은 개인의 우편물은 전송 서비스를 받을 수 없다.

㉣ 소송이 진행 중인 경우에는 「민사소송법」 제185조 제1항에 따라 별도로 법원에 변경한 송달장소를 신고하여야 한다.

㉤ 신용(체크)카드로 수수료를 납부한 경우에는 주거이전 철회신고 시 해당 카드를 가지고 방문한다.

(9) 보관우편물 교부서비스

① **정의** : 수취인 부재 등의 사유로 배달하지 못하여 배달우체국에 보관 중인 우편물을 수취인이 직접 방문하여 수령하는 제도이다.

② **이용방법** : 평일 근무시간(09~18시)에 교부한다. 토요일과 공휴일에는 교부하지 않는다.

(10) 등기취급우편물 대리수령인제도

① **정의** : 주간시간대 부재, 장기여행 등으로 등기취급우편물을 수취할 수 없는 경우에 미리 대리수령인을 지정하여 우체국에 신고하면 대리수령인에게 우편물을 배달해 주는 제도이다.

② **내용 및 이용방법** : 등기우편물 '대리수령인신고서'를 작성하여 우체국 또는 집배원에게 신고한다. 대리수령인은 담당 집배원 배달 구역 내에 거주하며 사리를 분별할 수 있는 사람이어야 한다.

(11) 계약등기우편제도

① 우편관서와 이용자가 다량통상등기우편물 취급업무에 관한 계약을 체결하고 우편관서가 이용자에게 약정한 서비스를 제공하는 대신 이용자는 일정물량 이상의 우편이용을 보장하며, 이용실적에 따라 요금을 정산하는 제도이다.

② 계약관서 및 이용대상

㉠ **계약관서** : 우편집중국, 5급 이상 공무원이 우체국장으로 배치된 우체국이다.

㉡ **이용대상** : 동일 이용자가 1회 100통 이상이거나 월 5,000통 이상 발송하는 다량통상등기우편물을 이용하는 사람이다. 두가지 요건을 동시에 충족하여야 한다.

③ 이용요건

㉠ 우편관서가 사전에 부여한 등기번호를 계약등기우편 발송용 봉투에 바코드(bar code)로 인쇄하여 제출하되, 신속한 송달을 위해 우편번호 앞 3자리까지 구분하여 제출하고 등기번호는 일련번호를 사용한다.

㉡ 계약등기우편물의 식별이 용이하도록 하기 위하여 외부 기재사항 표시위치에 '계약등기'의 표시를 하여 발송하며, 부가서비스를 이용할 경우에는 부가서비스 내용을 함께 표시하여 발송한다.

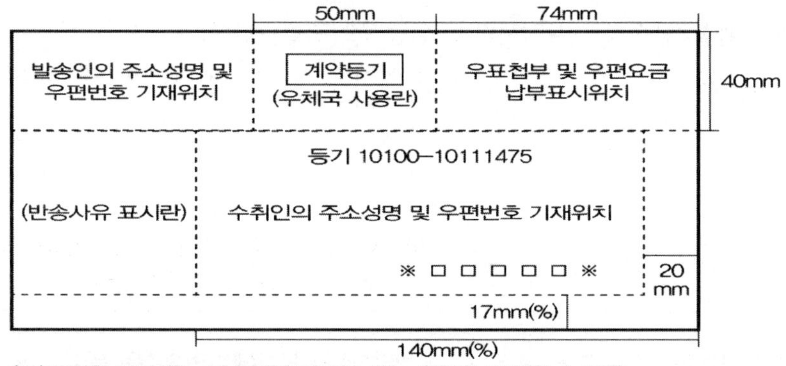

(※)표시한 부분에는 발송인이 필요로 하는 사항을 기재할 수 없음

⑤ 계약등기우편요금 : 통상우편요금에 등기취급 수수료, 부가서비스취급수수료를 가산한 금액이다.

⑥ 부가서비스 취급수수료

내용	부가우편 서비스명	취급수수료
계약등기우편물	본인지정배달	1,000원
	우편주소 정보제공	1,000원
	회신우편	1,500원
	착불배달	500원
	반환취급 사전납부	반환취급수수료 × 반환율

⑿ 옥외무인창구

① 지하철역 무인우편창구

② 외부용 무인우편창구

③ 무인우체국

⒀ 우편물 반송정보 제공서비스

① 정의

㉠ 다량의 일반통상 우편물 발송업체가 봉투표면에 인쇄필수 사항(반송사유란, 반송처, 고객바코드를 인쇄하여 발송하고, 집배원이 우편물 반송사유를 반송사유란에 ✓ 또는 ○으로 표기하여 우편집중국으로 반송 처리한다.

㉡ 우편집중국은 반송우편물을 관할 '반송정보 분석센터'로 일괄적으로 발송한다.

㉢ '반송정보 분석센터'는 반송사유와 발송인의 고객바코드를 분석하여 파일 형태로 우편물 발송업체에 제공한다.

② 업무 프로세스

우편물(반송사유란, 반송처, 고객바코드 인쇄) 접수	→	집배원 배달 시 반송사유란(지환일부인)에 ✓ 또는 ○으로 표기 후 반송	→
수용 집중국은 관할 반송정보 분석센터로 일괄 발송	→	반송정보 분석센터 반송사유 분석	→
이용업체에 반송정보(파일) 제공			

③ 계약관서 및 이용대상

㉠ 계약관서 : 전국 우편집중국

㉡ 이용대상 : 반송사유를 제공받고자 하는 일반통상우편물 별후납 발송자(특수통상 제외)

㉢ 계약기간 : 2년 단위(계약관서와 발송인(업체) 간 계약 체결)

④ 서비스 종류 및 이용조건

㉠ Ⅰ형 반송 사유 + 리스트 + 영상

- 개요 : 반송사유란을 인쇄, '반송사유, 반송우편물 리스트, 영상'을 제공받으려는 규격 일반통상 우편물이다.
- 이용조건

−3가지 인쇄 조건[반송사유란, 반송처, 고객바코드(bar code)] 준수한다.

−우편물 좌측 하단에 '반송사유란'과 '발송인'란 하단에 '반송처 : 우편집중국 반송정보센터'를 인쇄한다.

−'고객(수취인)바코드'는 계약관서가 부여한 기관코드(6자리)를 포함하여 1차원 바코드는 40자리, 2차원 바코드는 206자리 이내로 인쇄한다. ※ 기관코드(이용자번호)는 '반송정보 분석센터'와 협의하여 계약 체결 시 부여

㉡ Ⅱ형 리스트 + 영상

- 개요 : 반송사유란을 인쇄하지 않고 '반송우편물 리스트와 영상'을 제공받고자 하는 규격 일반통상 우편물이다. ※ 반송사유가 불필요하거나 미관상 우편물 표면에 반송사유란 인쇄를 원치 않는 경우

• 이용조건

– 인쇄 조건 중 2가지(반송처, 고객바코드(bar code))만 인쇄한다.

– '발송인'란 하단에 '반송처 : 우편집중국 반송정보센터'를 인쇄한다.

– '고객(수취인)바코드'는 계약관서가 부여한 기관코드(6자리)를 포함하여 1차원 바코드는 40자리, 2차원 바코드는 206자리 이내로 인쇄한다.

㉢ Ⅲ형 리스트

• 개요 : 반송사유란을 인쇄하지 않고 '반송우편물 리스트'만을 제공받고자 하는 규격외 일반통상 우편물이다. ※ 규격외 우편물은 자동화 기계처리가 불가하여 '반송우편물 리스트'만 제공

• 이용조건

– 인쇄 조건 중 2가지(반송처, 고객바코드(bar code))만 인쇄한다.

– '발송인'란 하단에 '반송처 : 우편집중국 반송정보센터'를 인쇄한다.

– '고객(수취인)바코드'는 계약관서가 부여한 기관코드(6자리)를 포함하여 1차원 바코드는 40자리, 2차원 바코드는 206자리 이내로 인쇄한다.

⑤ 반송우편물 처리

㉠ 이용 계약에 의하여 반송우편물은 15일간 보관 후 폐기한다.

㉡ 반송우편물 분석정보(리스트/영상)는 3개월 보관 후에 폐기한다('발송인(업체)'이 실물 반환을 요청하는 경우에는 교부 가능).

⑥ 우편물 인쇄규격

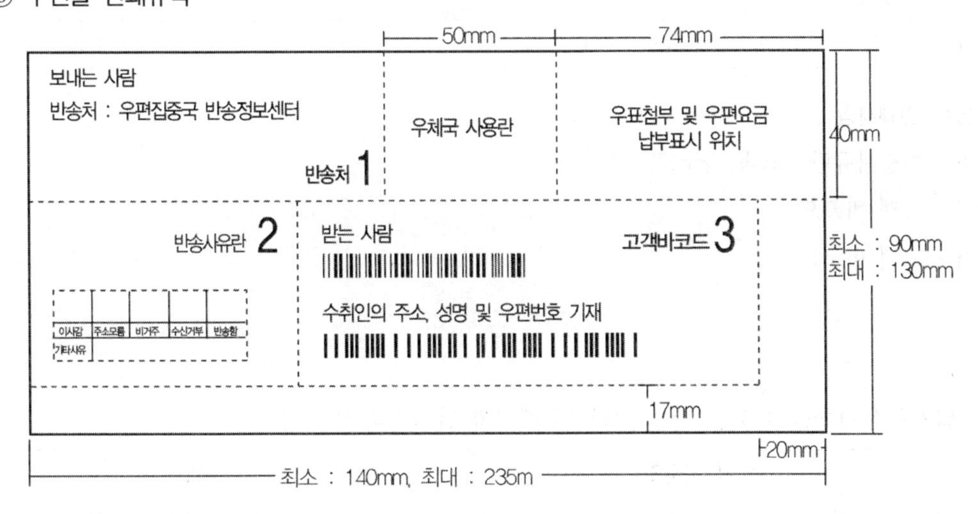

⑦ 세부규격

구분	내역	비고
반송처	우편집중국 반송정보센터	• 서울, 동서울, 부천, 부산, 대전, 광주 우편집중국에 반송정보 분석센터를 운영한다. • 관할 반송정보 분석센터로 일괄적으로 발송한다.
반송 사유란	10mm ✓ ○ 4mm 이사감 / 주소오류 / 미거주 / 장기방치 / 반송함 10mm 기타사유 10mm 50mm	• 사이즈 : 가로 50mm × 세로 24mm(±5%) • 라인두께 : 0.1 ~ 0.3mm • 글자크기 : 5pt 이상 • 검정 또는 군청계열 • 반송사유표기방법 : 우편물 배달현장에서 V, ○표기 • 기타사유(부전지 내용을 직접기재) : 해외전용, 재개발, 사망, 군입대 등이 있다.
고객 바코드 1차원	자릿수 : 40자 이내로 한다. 발송기관코드(6자) + 고객관리정보(34자)이다.	
	종류 : code128, code39, 2 of 5	
	해상도 : 300dpi 이상(레이저프린트)	
	규격 : 길이(100 ~ 150mm), 높이(7 ~ 15mm)	
고객 바코드 2차원	자릿수 : 206자 이내(숫자, 영문, 한글, 특수문자), 기관코드(6자)+고객관리정보(200자)	
	종류 : Data matrix	
	해상도 : 300dpi 이상(레이저프린트)	
	규격 : 길이(12 ~ 20mm), 높이(12 ~ 20mm)	

⑧ 서비스 종류별 필수 인쇄사항

㉠ Ⅰ형 : 반송처 + 반송사유란+ 고객 바코드

㉡ Ⅱ형 : 반송처 + 고객 바코드

㉢ Ⅲ형 : 반송처 + 고객 바코드

⒁ 송달기준

① 우편물의 종별 송달기준(우편물을 접수한 다음날로부터 배달할 날까지의 일수기준)

구분	송달 기준일	비고
일반우편	접수한 다음날 3일 이내 배달	일반통상 · 소포 · 등기통상
익일 특급 등기소포	접수한 다음날 배달 ※ 제주(익일배달) : 읍 · 면지역 제외한 제주 및 서귀포시 일원	제주는 'D(우편물 접수한 날) + 2일'이다.

② **송달기준** : 우체국장이 공고한 '오늘출발 우편물 접수 마감시간'까지 우체통에 투입하거나 우체국 창구에서 접수한 우편물을 대상으로 적용하되, 마감시간을 정할 때에는 다음 사항을 고려한다.

㉠ 관할지역의 지리 및 교통상황

㉡ 우편물 운송시간 및 운송편

㉢ 우체국의 우편물 처리능력

㉣ 기타 우편물의 최선편 연결에 영향을 가져올 상황

③ 관공서의 공휴일에 관한 규정에 의한 공휴일과 기타 다른 법령에 의한 유급휴일, 토요일 및 우정사업본부장이 배달하지 아니하기로 정한 날은 우편물 송달기준에 산입하지 아니한다.

④ **도서/산간오지 등의 우편물 송달기준**

㉠ 우편물의 운송이 특히 곤란한 지역에 대하여는 도서/산간오지 등 교통이 불편하여 지역별 또는 지역 상호 간에 적용할 우편물 송달기준을 달리 적용할 수 있다.

㉡ 송달기준적용을 달리 정한 때에는 관할 지방우정청장이 그 지역과 송달기준을 공고한다.

㉢ 지방우정청장이 공고할 송달기준적용 곤란지역의 기준은 다음과 같다.

- 접수 우편물 송달기준적용 곤란지역 : 접수국에서 접수 · 수집한 우편물을 관할 집중국에 당일 운송하기 곤란한 지역
- 배달 우편물 송달기준적용 곤란지역 : 관할 집중국에서 배달국까지 집배원의 당일배달 출발준비 시간 내에 배달 우편물 전송이 곤란한 지역

⑤ **송달기준 적용의 예외** : 「신문 등의 진흥에 관한 법률」의 규정에 의하여 등록된 일간신문(주 5회 이상 발행되는 신문에 한함) 및 관보규정에 의한 관보를 우편물정기발송계약에 따라 발송하는 때에는 일반우편물로 접수한 경우에도 접수한 날의 다음날까지 송달할 수 있다.

03 국제우편

#국제통상우편 #국제우편의 종류 #국제우편의 취급

CHAPTER

01 국제통상우편

(1) 서장

① 의의

㉠ 서장은 "특정인에게 보내는 통신문(Correspondence)을 기재한 우편물(타자한 것을 포함한다)로 봉함한 통상우편물"이다. 다만, 창구에서 접수한 시각장애인용 우편물과 인쇄물 또는 소형포장물은 서장에서 제외한다.

㉡ 일반적으로 서장이라 할 때에는 통신문의 성질을 갖는 서류를 말하지만, 국제우편에 있어서는 그 이외에 엽서나 항공서간의 정하여진 조건을 충족시키지 못한 것, 멸실성 생물이 있다.

② 서장에 관한 조건 : 서장은 우편물의 포장에 관한 일반적인 조건에 맞아야 하고 봉함서장인 경우에는 취급중 곤란하지 않도록 직사각형이어야 한다.

③ 서장으로 취급하는 것(예시 : 법규위반엽서)

㉠ 엽서로서의 형태, 지질, 규격을 갖추지 못한 것

㉡ 표면의 우측반부에 수취인 주소, 성명, 우표, 우편물취급에 관한 지시사항 등 이외의 것을 기재하거나 붙인 것

㉢ Carte postale(Postcard)임을 분명히 표시하지 않은 엽서(그림엽서는 제외)

㉣ 법규위반 항공서간(규정 제15조 제5항)

(2) 우편엽서

① 의의 : 우편엽서는 조약에 규정된 조건에 따라 정부가 발행하는 것(관제엽서)과 정부이외의 자가 조제하는 것(사제엽서)으로 구분하며, 관제엽서는 우편요금을 표시하는 증표를 인쇄할 수 있다(국제우편 규정 제14조 제1항). 서장에 비하여 요금이 싸며 이용조건을 엄격하게 제한하고 있다.

② 요건

㉠ 우편엽서는 직사각형이어야 하고 취급상 곤란하지 않을 정도로 튼튼한 판지나 종이로 만들어야 하고 투영부분이나 양각부분이 없어야 한다.

㉡ 앞면 윗부분에 불어(Carte postale) 또는 이에 상당하는 타국어로 우편엽서(Postcard)라는 뜻의 문자가 표시되어야 한다(그림엽서 경우 예외).

㉢ 최소한 앞면의 우측반부는 수취인의 주소 · 요금납부표시 등을 위하여 통신문을 기재하지 말고 남겨 둔다.

㉣ 엽서는 봉함하지 않은 상태로 발송한다.

㉤ 엽서에 관한 규정을 따르지 아니한 우편엽서는 서장으로 취급하되 뒷면에 요금납부표시를 하는 경우에는 예외로 한다.

③ 종류

㉠ 관제엽서 : 관제엽서는 정부에서 발행하는 우편엽서로서 우편요금을 표시하는 증표 즉 요금인면을 인쇄할 수 있다.

㉡ 사제엽서 : 사제엽서는 정부이외의 자가 조제하는 엽서로서 우편요금을 표시하는 증표를 인쇄하여서는 아니되며 사제엽서를 조제하는 기준은 관제엽서에 준하여야 한다.

(3) 인쇄물

① 정의 : 접수 우정청이 인정한 방법에 의하여 종이, 판지 또는 일반적으로 인쇄에 사용되는 다른 재료에 여러 개의 동일한 사본으로 생산된 복사물이다.

② 요건 : 인쇄물은 허용된 물질(종이, 판지, 후지, 화학합성지 등)에 2부 이상을 복사한 복사물이어야 하며, 개봉하여 발송하고 주소기재면의 좌측상단이나 발송인 주소 · 성명 기재란 아래에 굵은 문자로 인쇄물(Imprime)이란 뜻의 문자를 표시한다.

③ 인쇄물의 요건을 갖추지 않은 것 중 인쇄물로 취급하는 것

㉠ 관계학교의 교장을 통하여 발송하는 것으로 학교의 학생 사이에 교환되는 서장 및 엽서

㉡ 학교에서 학생들에게 보낸 통신강의록 및 학생들의 과제원본과 채점답안(다만 성적과 직접 관계되지 않는 사항은 기재할 수 없다.)

㉢ 소설 또는 신문원고

㉣ 필서한 악보

㉤ 복사사진

㉥ 동시에 여러 통을 발송하는 컴퓨터프린터 또는 타자기에 의한 인쇄물

④ 인쇄물에 기재할 수 있는 사항

㉠ 발송인과 수취인의 주소 · 성명(신분, 직업 및 상호를 부기할 수 있음)

㉡ 우편물의 발송장소와 일자

㉢ 우편물과 관련되는 일련번호 및 등기번호

㉣ 인쇄물 내용본문의 단어 또는 일정부분을 삭제하거나 기호를 붙이거나 밑줄을 친 것

㉤ 인쇄의 오류를 정정하는 것

㉥ 간행물, 서적, 팜플렛, 신문, 조각 및 악보에 관한 주문서, 예약신청서 또는 판매서에는 주문하거나 주문받은 물건 및 그 수량, 물건의 가격 및 가격의 주요내역을 표시한 기재, 지불방법, 판, 저자 및 발행자명, 목록번호와 "paper-backed", "stiff-backed" 또는 "bound"의 표시

㉦ 도서관의 대출업무에 사용되는 용지에는 간행물명, 신청 · 송부부수, 저자, 발행자명, 목록번호, 대출일수, 대출희망자의 성명

㉧ 인쇄한 문학 및 예술작품에는 간단한 관례적 증정 인사말

㉨ 신문 및 정기간행물을 오려낸 것에는 이를 게재한 간행물의 제목, 일자, 제호 및 발행사

㉩ 인쇄용 교정본에는 교정, 편집 및 인쇄에 관한 변경 · 추가 및 "Passed for press", "Read-passed for press"와 같은 기재 또는 발행에 관한 이와 비슷한 표시. 여백이 없을 경우, 추가기재는 별지란에 할 수 있다.

㉪ 주소변경통지서에는 신 · 구주소와 변경일자

⑤ **인쇄물의 첨부물**

㉠ 우편물 발송인의 주소 또는 우편물 발송국가, 도착국가내 발송인 대리인의 주소를 인쇄한 카드, 봉투, 봉띠

㉡ 인쇄된 문학 및 예술적 작품에는 관련 송장(송장사본, 대체용지)

㉢ 패션 간행물에 대하여는 그 간행물의 일부를 이루는 도려낸 옷본

㉣ 인쇄물에는 현실적이고 개인적인 통신문의 성질을 띤 어떠한 서류도 포함하지 못하며, 소인여부를 불문하고 우표나 요금인영증지 또는 금전적 가치를 나타내는 어떠한 증서도 포함할 수 없다.

(4) 소형포장물

① **정의** : 2kg 이하의 작고 가벼운 물품을 간편하게 보낼 수 있는 국제우편의 한 종류이다.

② **특성**

㉠ 만국우편협약에 따른 우편물 종류로서 소포우편물과는 달리 이용조건 등에 각 국 공통점이 많아 편리하다.

㉡ 송달이 소포우편물에 비해 신속한 편이며, 요금도 소포우편물보다 저렴하다.

㉢ 소포우편물과 같이 무거운 우편물과 함께 우편자루에 넣지 않기 때문에 운송 도중 충격과 압박 등으로 손상될 우려가 적고 포장도 비교적 간단하다.

③ **발송요건** : 내용품의 가격이 300SDR 이하인 경우에는 세관표지(CN22)를, 내용품의 가격이 300SDR 초과하는 경우에는 세관신고서(CN23)를 우편물에 첨부한다.

(5) 시각장애인용 우편물

① **정의 :** 점자로 된 서장 및 점자기호를 가진 활자판을 내용으로 하는 우편물이다. 특별한 봉합조건이 요구되지는 않지만 내용품의 점검을 위하여 안전하게 열어보기 쉽도록 포장한다. 공인된 시각장애인용 기관에서 발송하거나 동 기관으로 발송하는 시각장애인전용의 녹음물이나 점자의 용지도 시각장애인용 우편물로 취급한다.

② **요금의 면제 :** 시각장애인용 우편물에 대하여는 항공부가요금을 제외한 모든 요금이 면제된다. 즉 선편으로 접수할 때에는 무료로 취급하며 항공등기로 접수할 때에는 등기요금은 무료이나 항공부가요금만 징수한다.

③ **발송요건 :** 시각장애인용 우편물 외부의 주소기재란에 점자우편 표지를 붙인다.

(6) 항공서간

① **정의 :** 항공통상우편물로서 세계 어느 지역이나 같은 요금으로 보낼 수 있는 국제우편 특유의 우편물 종류이다. 항공서간은 1매의 종이를 접어 편지지와 봉투를 겸한 봉합엽서의 형태로 되어 있어 간편하고 편리하고 요금이 저렴하다.

② **표시 :** 항공서간에는 외부에 "Aerogramme"이란 표시한다.

③ **종류 :** 항공서간은 정부가 발행하는 것과 사제항공서간으로 구분하며, 정부가 발행하는 항공서간에는 우편요금을 표시하는 증표를 인쇄할 수 있다.

④ **항공서간 견본**

⑤ **발송조건** : 항공서간은 원형을 변경하여 사용할 수 없으며, 등기로 발송할 수 있다. 항공서간에는 우표이외의 물품을 붙이지 못하며, 어떠한 것도 넣어서는 안된다. 위의 조건과 국제우편규정을 위반한 사제항공서간은 항공서장우편물로 취급한다.

(7) 우편자루배달 인쇄물

① **정의** : 신문, 정기간행물, 서적, 잡지 등의 인쇄물을 동일인이 동일수취인에게 한꺼번에 다량으로 발송하고자 하는 인쇄물이다. 인쇄물을 넣은 우편자루 1개를 1개의 우편물로 취급하는 것이며 제한중량은 10kg 이상 30kg 이하이다. 포장이 간단하고 일반인쇄물보다 중량이 더 무거운 것도 발송할 수 있다.

② **접수 우체국** : 우편자루배달 인쇄물은 전국의 모든 우체국(우편취급국는 제외)에서 접수한다.

③ **취급요건** : 10kg 이상 인쇄물에 한하여 접수하고 있으며, kg단위로 요금을 계산한다.

④ **특징** : 일반적으로 어느 나라든지 보낼 수 있으나, 등기는 취급하는 나라가 제한되어 있기 때문에 특수취급이 가능하다(등기, 배달통지).

02 기타 국제우편

(1) 국제소포우편

국제소포는 만국우편연합의 회원국가간 또는 지역 상호간에 교환하는 소포이다. 특히, 미국 및 캐나다행 보통소포는 우리나라 내에서만 기록취급하며, 배달국가 내에서는 기록취급하지 않는다. 추후 우편물 수수관계를 확인하기 위해서는 보험에 들어야 한다.

(2) K-Packet

① **의의** : 온라인 쇼핑상품(2kg 이하 소형물품)에 대하여 발송인과의 이용계약 체결을 통해 해외로 배송하는 온라인 전용 국제 우편서비스이다.

② 서비스 개요

㉠ **이용대상** : 2kg 이하의 국제우편물을 우체국과 계약하여 이용하는 고객이다.

㉡ **우편요금** : 소형포장물과 EMS 요금의 중간 수준이다.

③ 특징

㉠ 인터넷우체국을 통해 우편물 접수를 신청하면 우체국에서 방문 접수하여 픽업 또는 배송을 지원한다.

㉡ 주소 및 세관신고서(CN22)를 한 장의 기표지로 통합할 수 있도록 정보시스템 및 주소기표지 무료 제공한다.

㉢ 소형포장물과 비교하여 배송기간 단축 및 종추적 정보 제공국가를 확대한다.

03 국제특급우편/EMS프리미엄

(1) EMS

① **정의** : 급한 편지, 서류나 소포 등을 가장 빠르고 안전하게 외국으로 배달해 주는 국제 우편서비스이다.

② **특성**

㉠ **공신력** : 국가기관인 과학기술정보통신부 우정사업본부가 공신력 있는 외국 우편당국과 체결한 특별협정에 따라 취급한다.

㉡ **신속성** : 서울에서 오전에 부치면 도착국가에서 통관검사를 거칠 필요가 없는 우편물(서류)의 경우 가까운 곳은 1~2일, 기타 국가는 2~5일 이내에 배달이 가능하다.

㉢ **조회가능** : 주요국가로 발송한 국제특급우편물의 경우에는 국제적으로 연결된 컴퓨터망을 통하여 배달 여부가 즉시 조회가 가능하다. 컴퓨터 조회가 되지 않을 경우에는 팩시밀리나 이메일을 통하여 신속하게 조회하고 그 결과를 확인할 수 있다.

③ **종류**

㉠ **계약국제특급우편**(Contracted Service) : 고객이 우체국과 미리 계약을 체결하고 그 계약에 따라 우체국에서 EMS 우편물을 수집 또는 발송한다.

㉡ **수시국제특급우편**(On-demand Service) : 고객이 지정된 우체국에서 수시로 국제특급우편물을 발송하며, 도착한 EMS 우편물은 국내특급우편물의 예에 따라 배달한다.

④ **보낼 수 있는 것** : 업무용 서류(Official Communications), 상업용 서류(Commercial Papers), 컴퓨터 데이터(Computer Data), 상품 견본(Business Samples), 마그네틱 테이프(Magnetic Tape), 마이크로 필름(Microfilm), 상품(Merchandise : 나라에 따라 취급을 금지하는 경우가 있다.)이 있다.

⑤ **보낼 수 없는 것** : 동전 및 화폐(Coins, Bank Notes), 송금환(Money Remittances), 유가증권류(Negotiable Articles), UPU 일반우편 금제품(Prohibited Articles), 취급상 위험하거나 다른 우편물을 오염 또는 파손시킬 우려가 있는 것, 마약류 및 향정신성 물질, 폭발성·가연성 또는 위험한 물질(페인트/잉크 등), 외설적이거나 비도덕적인 물품 등, 가공 또는 비가공의 금/은/백금/귀금속/보석 등 귀중, 상대국가에서 수입을 금하는 물품, 상하기 쉬운 음식물, 동식물(송이버섯 등)이 있다.

⑥ **특수취급의 종류** : 배달통지, 보험취급, 국제초특급우편서비스, 배달보장서비스가 있다.

(2) 국제초특급우편

① 개요 : 국제우편서비스 중에서 실물을 가장 빠르게 전달하고, 송달 기준이 엄격히 준수된다. 또한 배달 결과를 자동적으로 발송인에게 알려준다. 정해진 기간내에 우편물이 배달되지 않은 경우에는, 접수시 발송인이 납부한 우편요금을 모두 발송인에게 전달한다.

② 국제초특급우편과 기타 EMS 서비스 비교

구분	국제초특급우편과 기타 EMS 서비스 비교	Kahala(카할라) EMS (EMS 배달일자 보장)	국제초특급우편 (EMS 배달일시 보장)
취급 대상	서류, 상품, 상품견본 등		서류만 취급 (통관검사대상 물품은 취급대상에서 제외)
송달 기준	2일 ~ 4일	1일 ~ 3일 (EMS 배달보장일 계산프로그램에 의함)	• 서울지역 오전접수 : 다음날 배달 • 그 밖의 지역(서울지역 오후 접수 포함) 2일째 배달
발송 내역 통보	우편물과 같은 경로를 통하여 도착교환 우체국에 문서로 통보한다.	우편물과 같은 경로를 통하여 도착교환우체국에 문서로 통보한다. 향후, 전자정보교환망(EDI)에 의해 미리 통보할 예정이다.	우편물 도착 전에 FAX로 통보한다.
배달 결과 통보	발송인의 청구가 있는 경우에 한하여 배달 여부를 통보한다.	발송인의 청구가 있는 경우에 한하여 배달 여부를 통보한다. 향후, EMS배달보장일 계산프로그램에 의해 접수하는 경우 배달일자를 통보할 예정이다.	발송인의 청구가 없는 경우에도 배달여부를 통보한다.
지연 송달 손해 배상	배달예정일보다 48시간이상 지연 배달되었을 경우, 납부한 우편요금액을 배상한다.	EMS배달보장일 계산프로그램을 통해 통보한 일자보다 지연 배달되었을 경우, 납부한 우편요금액을 배상한다.	배달예정일시보다 지연 배달되었을 경우, 납부한 우편 요금액을 배상한다.

(3) EMS프리미엄

① 의의 : 우정사업본부와 UPS와 업무제휴로 시행중인 서비스이다. 전세계 200여개 국가로 발송할 수 있는 EMS 프리미엄 서비스 시행하고 있으며, 해외배송을 국제특송회사인 UPS가 담당하고 있다.

② 특성

㉠ 우정사업본부는 우체국 국제특송 EMS서비스 품질 향상의 일환으로 세계적인 물류 네트워크를 보유하고 있는 국제특송회사인 UPS와의 업무를 제휴하였다. 전국 모든 우체국 창구에서 전세계 200여 개 국가로 UPS의 네트워크를 통해 서류 및 물품을 최대 2,000kg까지 발송이 가능하다.

㉡ 계약국제특급우편 고객 및 다량 발송 고객의 경우 이용 물량 및 금액에 따라 할인혜택을 받을 수 있으며, 전국 총괄우체국(5급국 이상)에서 일부 국가에 대하여 우편요금을 수취인이 내도록 하는 "우편요금 수취인부담(착불)서비스" 이용이 가능하다.

㉢ EMS프리미엄 우편물은 홈페이지를 통해 일일처리상황(행방)을 조회할 수 있다.

㉣ 보험이 가입된 EMS프리미엄에 대한 분실 및 파손시 UPS에서 직접 고객에게 손해배상을 한다.

04 국제우편물 특수 취급

(1) 등기

① **정의** : 우편물마다 접수번호를 부여하고 접수한 때로부터 배달되기까지의 취급과정을 기록취급하여 우편물취급 및 송달의 확실성을 보장하기 위한 제도이다. 망실이나 도난파손의 경우에는 손해배상을 하여 주는 제도이다.

② **대상**

㉠ 모든 통상우편물은 등기로 취급할 수 있다.

㉡ 등기우편물을 발송하는 이용자는 보통우편요금 이외에 등기취급수수료를 납부해야 한다.

㉢ 도착국가의 국내법이 허용하는 경우 봉함된 등기서장에 각종 지참인불유가증권, 여행자수표, 백금, 금은 가공 또는 비가공의 보석 및 기타 귀중품을 넣을 수 있다.

국내 관련법규에서 허용하는 범위내에서만 취급하며 국가에 따라서 발송할 수 없는 나라도 있다.

(2) 등기 배달통지

① **의의** : 배달통지(Advice of delivery : A.R.)는 우편물 발송인의 청구에 따라 우편물을 수취인에게 배달하고 수취인으로부터 수령 확인을 받아 발송인에게 통지하여 주는 제도이다.

② **대상** : 배달통지(A.R.)는 국내우편의 배달증명과 유사하며 등기통상우편물, 일반소포 또는 보험소포우편물 발송시 배달통지 청구가 가능하다. 소포우편물의 경우 보험우편물로 제한될 수 있다.

(3) 보험서장

① 의의 : 유가증권 · 금전적 가치가 있는 서류나 귀중품 등이 들어있는 서장우편물을 발송인이 신고한 가액에 따라 보험으로 취급하여 교환하고, 망실 · 도난 또는 파손된 경우 보험가액의 범위내에서 실제로 발생된 손해액을 배상하는 제도이다.

② 보험가액

㉠ 건당 최고한도액은 4,000SDR(7,000,000원)까지이나, 상대국가에서 취급하는 최고한도액이 그 이하인 경우에는 상대국가의 취급한도액 범위 내에서 취급한다.

㉡ 보험가액은 내용품의 실제 가치를 초과할 수 없으며, 이를 위반하면 보험 사기로 취급한다.

㉢ 내용품의 일부가치만을 보험 취급할 수도 있다.

㉣ 가치가 작성비용에 있는 서류의 보험가액은 망실의 경우 이를 대치하는데 소요되는 비용을 초과할 수 없다.

③ 보험서장으로 발송할 수 있는 물건 : 수표 · 지참인불유가증권, 우표, 복권표, 기차표 등과 같은 금전적 가치가 있는 서류, 귀금속 및 보석류, 고급시계, 만년필 등 귀중품 수출입관련 법령(대외무역법 등)에서 허용하는 범위내에서 취급한다.

④ 보험서장으로 발송할 수 없는 물건 : 국제우편에 관한 조약에서 취급을 금지하는 품목, 마약류 및 향정신성물질, 폭발성 · 가연성 또는 기타 위험한 물질, 외설적이거나 비도덕적인 물품 등, 우편관계 국내법규에서 우편취급을 금하는 품목(은행권 등), 상대국가에서 수입을 금하는 물품 등이 있다.

04 우편번호체계

CHAPTER

#우편번호 연혁 #우편번호 부여체계

01 우편번호

(1) 우편번호 개요

① 정의 : 우편물 구분의 효율화를 위해 주소의 일부를 숫자화한 코드이다.

② 우편번호의 연혁

㉠ 최초제정(1970. 7. 1.) : 우체국별 우편번호(5자리)

㉡ 1차 개정(1988. 2. 1.) : 행정구역별 우편번호(6자리)

㉢ 2차 개정(2000. 5. 1.) : 집배원의 담당구역과 일치되도록 지번리 단위까지 세분화한 우편번호(6자리)

㉣ 3차 개정(2015. 8. 1.) : 국가기초구역번호(5자리)

③ 현행 우편번호의 의의 : 도로명주소 시행과 더불어 도입된 국가기초구역제도에 따라 국가기초구역에 부여된 5자리 구역번호를 우편번호로 사용한다.

(2) 우편번호 부여체계

① 앞 3자리 : 특별(광역시)/도와 시/군/자치구를 의미한다.

② 뒤 2자리 : 해당 시/군/자치구 내에서 순차적으로 부여한 일련번호로 구성된다.

③ 우리나라 부여체계 : 서울(01~09), 경기(10~20), 인천(21~23), 강원(24~26), 충북(27~29), 세종(30), 충남(31~33), 대전(34~35), 경북(36~40), 대구(41~43). 울산(44~45), 부산(46~49), 경남(50~53), 전북(54~56), 전남(57~60), 광주(61~62), 제주(63)

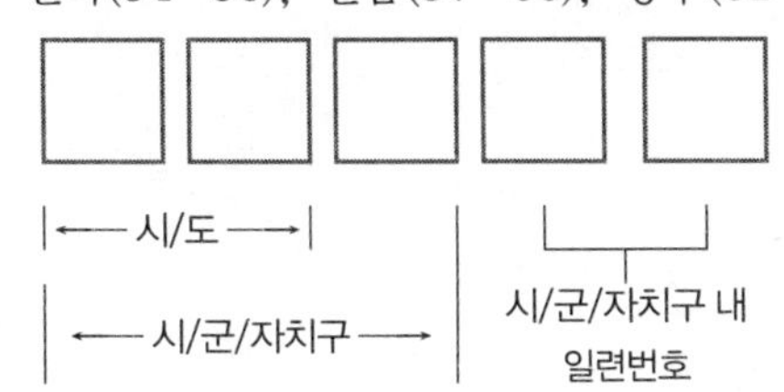

02 우편번호 찾는 방법

(1) 온라인 검색 시

도로명주소(도로명+건물번호), 지번주소(동(리)+지번), 주요 건물명칭, 사서함(사서함명+사서함번호)으로 검색이 가능하다.

(2) 우편번호 책자 이용 시

해당 도로명에 속한 건물번호의 유형을 확인한다.

① 홀수 : 건물번호 범위 구간 내 주(主)번호를 기준으로 홀수만 해당한다.

도로명주소	유형	우편번호
강남대로136길 5-4 ~ 31	홀수	06043

② 짝수 : 건물번호 범위 구간 내 주(主)번호를 기준으로 짝수만 해당한다.

도로명주소	유형	우편번호
강남대로100길 10 ~ 38	짝수	06129

③ 전체 : 건물번호 범위 내 모든 주소가 해당한다.

도로명주소	유형	우편번호
강남대로162길 20 ~ 45	전체	06028

④ '–' : 기재된 주소만 해당한다.

도로명주소	유형	우편번호
강남대로66길 21	–	06251

03 규격봉투 및 우편번호 기재 유의사항

(1) 규격봉투 크기 및 우편번호 올바른 기재 위치

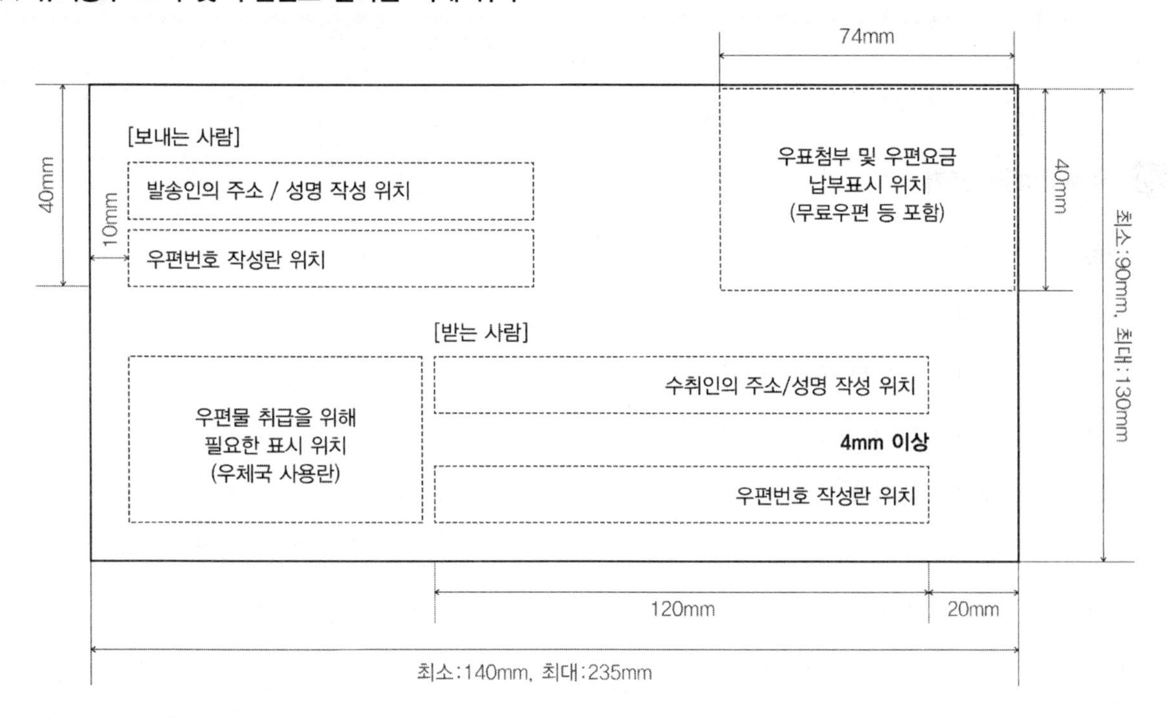

(2) 유의사항

올바른 기재위치를 벗어난 경우 우편물 기계처리가 곤란하여 수작업을 필요로 하므로 요금을 추가로 납부해야 한다.

05 우체국 금융 서비스

CHAPTER

#우체국예금 #우첵국보험

01 우체국예금 연혁

(1) 연혁

① 1905. 07. 우편환, 우편저금 최초시행

② 1977. 03. 우편저금 농협 이관

③ 1982. 12. 체신예금 · 보험에 관한 법률 제정 공포

④ 1983. 01. 체신예금 시행

⑤ 1984. 02. 체신예금 온라인 취급 개시

⑥ 1994. 12. 우체국 전산망과 은행전산망 연결

⑦ 1997. 11. 무인자동화창구 업무개시

⑧ 2000. 03. 체신예금.보험의 명칭을 우체국예금 · 보험으로 개칭

⑨ 2009. 09. 우체국금융 콜센터 운영, 인터넷뱅킹 서비스 개시

⑩ 2004. 11. IC칩 모바일뱅킹 서비스 시행

⑪ 2008. 10. 우체국예금.보험 윤리강령 선포

⑫ 2009. 09. 우체국금융 콜센터 KS인증 획득

⑬ 2011. 12. 우체국 독자 브랜드 start 체크카드 출시

⑭ 2013. 07. 소기업.소상공인공제(노란우산공제) 우체국 판매 시행

⑮ 2014. 08. 신분증 진위확인 통합서비스 시행

⑯ 2016. 03. 우체국예금 핀테크 앱 PostPay 출시

(2) 우체국 예금 사업 목적

국민의 저축의욕 고취, 보편적 금융 서비스 제공을 통해 국민경제생활의 안정과 공공복리의 증진에 기여한다(「우체국예금 · 보험에 관한 법률」 제1조).

(3) 우체국 예금의 역할

① 모든 국민이 믿고 편리하게 이용하는 국영 금융

② 모든 국민에게 기본적 금융 서비스 제공

③ 서민 경제 지원을 통한 금융소외 해소 노력

④ 국가재정과 우편사업 지원

⑤ 국가경제 안정화와 지역발전 기여

(4) 우체국 예금 취급 범위

① **예금상품** : 수시입출식, 거치식, 적립식, 기타 등이 있다.

② **전자금융 서비스** : 인터넷뱅킹, 스마트뱅킹, 폰뱅킹 등이 있다.

③ **체크카드** : 개인카드, 법인카드가 있다.

④ **창구망 제휴업무** : 창구망 개방 업무기관, 시스템개방 업무기관이 있다.

⑤ **업무제한** : 우체국예금은 일반은행과 달리 대출, 신탁, 신용카드 등의 업무를 제한받고 있다.

⑥ **취급우체국** : 우편취급국을 제외한 전국에 2천여개의 우체국이 있다.

⑸ 우체국 예금상품 종류

수시입출식(15종)

보통예금	저축예금	듬뿍우대 저축예금
예금자의 요구에 따라 언제든지 입·출금이 가능한 통장이다.	개인이 개설하는 예금으로 입금과 지급이 자유로운 통장이다.	금액별 차등금리를 적용하는 입출금이 자유로운 단기 고금리 통장이다.
국고예금	**e – postbank 저축예금**	**행복지킴이 통장**
국가기관의 선사용자금 등 국고금 성격의 예금을 관리하는 수시입출식 예금이다.	통장 발행 없이 인터넷뱅킹 등 전자금융 채널로 거래할 수 있는 전자금융 전용통장이다.	기초생활급여, 기초노령연금, 장애인급여 수급자의 수급권 보호를 위한 압류방지 전용통장이다.
기업든든 MMDA	**국민연금 안심통장**	**Young利한 통장**
입출금이 자유로우며, 단기간을 예치하더라도 높은 금리를 제공하는 기업전용 MMDA상품이다.	국민연금 수급권자의 기본적인 연금수급 권리를 보호하기 위한 압류방지 전용통장이다.	젊은 층 전용 특화상품, 타 금융기관자동화기기 현금인출 등 각종 수수료 면제 서비스 제공한다.
선거비 관리통장	**하도급 지킴이통장**	**다드림통장**
공직선거 입후보자 및 선거관리위원회의 선거 경비 등을 관리하기 위한 입출금 전용 통장이다.	조달청에서 운영하는 정부계약 하도급관리시스템을 통해 발주한 공사대금이 하도급자와 근로자에게 기간 내 집행될 수 있도록 관리·감독하기 위한 전용통장이다.	예금, 보험, 우편 등 우체국 이용고객 모두에 대하여 혜택을 제공하는 우체국 대표 수시입출식 상품이다.
공무원연금 평생안심통장	**호국보훈 지킴이통장**	**생활든든통장**
공무원연금, 별정우체국연금 수급권자의 기본적인 연금수급 권리를 보호하기 위한 압류방지 전용통장이다.	독립·국가유공자의 보훈급여금 등 수급자의 기본적인 연금수급 권리를 보호하기 위한 압류방지 통장이다.	기초연금, 급여, 용돈 수령 및 체크카드 이용 시 금융수수료 면제, 우체국 보험료·공과금 캐시백, 소포요금을 할인서비스를 제공한다.

거치식(11종)

정기예금	챔피언 정기예금	실버우대 정기예금
가장 기본이 되는 저축성 예금이다.	가입기간 1개월 이상 일 단위로 가입 가능한 정기예금이다.	만 50세 이상 고객의 노후생활자금 마련을 위한 전용상품이다.
주니어우대 정기예금	**이웃사랑 정기예금**	**e - postbank 정기예금**
만 19세 미만 어린이, 청소년들의 저축의식을 높이고 안정적인 목돈 운용을 위한 정기예금이다.	사회 소외계층과 헌혈자 등 사랑나눔, 실천 고객, 농어촌 고객을 위한 공익형 예금상품이다.	1,000만원 이상 가입한 고객에게 우대이율을 제공하는 온라인 전용 정기예금이다.
2040+α 정기예금	**퇴직연금 정기예금**	**스마트 정기예금**
직장인, 카드 가맹점, 법인 등의 안정적 자금운용을 위한 정기예금이다.	근로자퇴직급여보장법에서 정한 자산관리업무를 수행하는 퇴직연금사업자를 위한 전용 상품이다.	스마트폰뱅킹 이용자에게 우대이자율을 제공하는 스마트폰뱅킹 전용 정기예금이다.
우체국 ISA 정기예금	**소상공인 정기예금**	
「자본시장과 금융투자업에 관한 법률」에 따른 신탁업자 등의 개인종합자산관리계좌(ISA) 운용을 위한 전용상품이다.	소상공인, 소기업 대표자 전용상품으로 노란우산공제 가입, 수시 입출식예금 실적에 따라 우대혜택 제공한다.	

적립식(9종)

정기적금	2040+α 자유적금	Smart 퍼즐적금
일정기간 매월 일정금액을 납입하여 목돈마련의 기회를 제공하는 적금 상품이다.	직장인, 카드가맹점, 법인 등의 안정적 자금운용을 위한 적립식 상품이다.	고객 스스로 목표금액을 설정하고, 미션수행 시 우대 이율을 제공하는 스마트폰 전용상품이다.
우체국 새출발 자유적금	**우체국 다드림적금**	**우체국 e - 포인트적금**
사회 소외계층, 사랑실천 고객의 경제활동 지원, 국민행복 실현을 지원하는 공익형 적립식 상품이다.	우체국예금 장기고객, 우수고객을 우대하며, 급여, 연금, 공과금 자동이체 등 주거래 실적에 따라 혜택이 커지는 적립식 상품이다.	우체국 체크카드 포인트를 적금에 저축하며, 포인트이자 제공으로 실질적인 비과세 효과를 누릴 수 있는 온라인 전용상품이다.
우체국 아이LOVE적금	**우체국 마미든든 적금**	**우체국 장병내일준비적금**
어린이의 목돈 마련을 위한 주니어 전용 적금으로 가족의 금융실적에 따라 우대이율 제공, 주니어보험 무료가입, 캐릭터 통장 제공한다.	일하는 여성, 다자녀 가정 등 워킹맘을 우대하고 다문화·한부모 가정 등 목돈마련 지원 상품이다.	국군병사의 군복무 중 목돈마련 지원을 위한 적립식 상품이다.

기타(1종)

환매조건부채권	우체국이 보유하고 있는 국공채 등 채권에 일정기간 경과 후 약정한 이율을 적용하여 다시 매수하는 조건으로 판매하는 상품이다.

02 우체국 보험

(1) 우체국보험 연혁 및 사업목적

① 연혁

㉠ 1905. 7 : 예금사업 시작

㉡ 1929.10 : 보험사업 시작

㉢ 1977. 3 : 예금 · 보험업무 농협 이관(우체국금융자금을 국가정책 목적에 의거 조달금리 이하로 운용함에 따라 부실 규모가 증가하여 금융업무 이관)

㉣ 1983. 7 : 우체국예금 · 보험사업 재개(보편적 금융서비스 제공 및 한국전기통신공사 분리 후 우체국 유휴시설 및 인력 활용, 우정사업 누적적자

㉤ 2000. 7 : 우정사업본부 출범(1996.12.30 우정사업운영에 관한 특례법 제정)

㉥ 2007.11 : 보험사업단 발족

② 사업목적 : 보험의 보편화를 통하여 재해의 위험에 공동으로 대처하게 함으로써 국민의 경제생활 안정과 공공복리 증진에 기여한다(「우체국예금 · 보험에 관한 법률」 제1조).

(2) 우체국보험 특징

① 우체국보험 사업 범위

㉠ 4,000만 원 이하 소액 보험(생명 · 신체 · 상해 · 연금) 상품개발 · 판매 및 운영을 한다.

㉡ 기타 보험사업에 부대되는 환급금대출, 증권의 매매와 대여, 부동산의 취득 · 처분과 임대 등이 있다.

② 우체국 보험의 특징

㉠ **서민보험** : 무진단 · 단순한 상품구조의 보험료가 저렴한 소액보험으로서 서민층이 간편하게 가입할 수 있다.

㉡ **우체국 네트워크 활용** : 우체국은 농어촌, 도서지역 등 읍면지역 소재 비중이 62.8%로 전국적으로 골고루 보편적 영업(민영생보사는 대도시 위주의 영업 전개)한다.

㉢ **공적 역할** : 사익(주주이익)을 추구하지 않는 국영보험으로서 장애인/취약계층 등에 대한 보험상품의 보급을 확대하고, 사회소외계층을 위한 현장밀착형 공익사업 발굴 · 지원 등을 통한 사회적 책임을 강화한다.

(3) 우체국 보험 종류

㉠ 보장성보험

㉡ 저축성보험

㉢ 연금보험

(4) 보험범죄

① 정의 : 보험금을 받을 자격이 없는 사람이 보험금을 수령하거나, 실제 손해보다 많은 보험금을 수령하기 위하여, 또는 보험가입시 실제보다 낮은 보험료를 납입할 목적으로 고의 또는 악의적으로 행동하는 것이다.

② 유형

㉠ **사기계약** : 보험계약 체결시 보험가입금액을 의도적으로 높게 책정하거나, 중복보험의 형태로 가입 하거나, 고지의무를 위반하는 등의 방법을 사용한다.

㉡ **고의사고** : 보험금을 편취하기 위하여 고의적으로 보험사고를 유발하며 살인, 자살, 방화, 자동차 사고의 고의적 유발 등이 있다.

㉢ **사고가공** : 보험사고가 발생하지 않았으나 발생한 것처럼 보험사고를 위장 · 날조하는 형태이다.

㉣ **사고후가입** : 이미 사망한 사람을 피보험자로 하여 보험가입, 사고가 발생한 이후 사고일자 등을 조작 · 변경하여 보험가입, 암진단을 받고 난 후 보험가입 하는 방법 등이 있다.

㉤ **피해과장** : 보험금 편취를 위해 발생된 사고의 실제 피해보다 피해 규모를 고의적으로 부풀리는 형태이다.

③ 보험범죄의 폐해

선의의 보험소비자 피해발생	범죄의 모방 및 동조 확산
보험범죄 증가로 보험 본연의 기능이 퇴색되어 과중한 보험료 인상으로 선의의 보험계약자 피해	선량한 보험계약자의 모방범죄 확산으로 사회전체의 윤리관 및 가치관 붕괴초래

\+

인명피해 및 물적자원 낭비	인명경시 풍조의 조상
보험 당사자간의 신뢰 하락에 따른 분쟁을 처리하기 위한 사회적 비용을 발생	보험금 수령을 위해 인적 신뢰관계 악용하여 귀중한 생명과 재산을 고의적으로 살상하고 훼손

보험제도 존립기반 약화

06 우편 관련 상식

#알아두면 좋은 상식

CHAPTER

1 **우편**

인간이 사회생활을 영위하는 데 필요한 통신수단의 하나로, 개인의 일상생활은 물론 정치, 경제, 사회. 문화, 산업, 행정 등 전 분야에 걸쳐 정보 전달과 의사소통 역할을 수행하고 있다. 우편은 서신 등 의사전달물 및 통화와 기타의 물건을 송달하는 것이다.

2 **우편사업**

국가에서 직접 경영하는 국가기업에 의한 사업으로 사회 공공의 목적을 달성하기 위하여 국가, 공공단체 또는 그로부터 허가받은 자가 비권력적 수단에 의하여 경영하는 사업을 말한다. 국가기업은 정부 직영, 공사, 주식회사의 형태가 있다. 우편사업은 정부 직영 형태로 운영되는 국가기업이며, 구성원은 국가공무원이다.

3 **우편법**

우편에 관한 실질적인 기본법으로서 우편사업의 경영형태, 우편특권, 우편역무의 종류, 이용조건, 손해배상 및 벌칙 등 우편이용에 관한 기본적인 사항을 규정하고 있다.

4 **우정사업 운영에 관한 특례법**

우정사업의 조직 · 인사 · 예산 및 운영에 관한 특례를 규정함으로써 우정사업의 경영 합리화를 도모하여 우정서비스의 품질을 향상시키고 국가경제의 발전에 이바지함을 목적으로 한다. 이 법에는 우정사업에 관한 경영평가, 소포 · 국제특급 우편요금과 우편수수료 결정, 우정재산의 활용 등에 대한 특례가 규정되어 있다.

5 **우체국 창구업무의 위탁에 관한 법률**

우체국 창구업무의 일부를 일정한 자에게 위탁하여 이용창구를 확대하고, 사업을 효율적으로 운영함으로써 국민편의 증진과 우정사업의 발전에 이바지하는 것을 목적으로 한다.

6 **별정우체국법**

국민의 불편을 해소하기 위하여 우체국이 없는 지역에 개인이 설치하는 시설을 별정우체국으로 지정하는데 필요한 절차와 운영에 대한 사항을 담고 있다.

7 우편물 배달기한

① **일반우편** : 접수한 다음날부터 3일 이내 배달, 일반통상 · 소포 · 등기통상 등이 있다.

② **익일 특급 및 등기소포** : 접수한 다음날 배달한다. 제주의 익일배달은 읍 · 면지역 제외한 제주 및 서귀포시 일원이 가능하고, 제주는 우편물 접수한 날부터 + 2일이 소요된다.

8 우편물 포장방법

① **칼 · 기타 이에 유사한 것** : 적당한 칼집에 넣거나 싸서 상자에 넣는 등의 방법으로 포장하여야 한다.

② **액체 · 액화하기 쉬운 물건** : 안전누출방지용기에 넣어 내용물이 새어나지 않도록 봉하고 외부의 압력에 견딜 수 있는 튼튼한 상자에 넣고, 만일 용기가 부서지더라고 완전히 누출물을 흡수할 수 있도록 솜, 톱밥 기타 부드러운 것으로 충분히 싸고 고루 다져 넣어야 한다.

③ **독약 · 극약 · 독물 및 극물과 생병원체 및 생병원체를 포유하거나 생병원체가 부착한 것으로 인정되는 것**

- 액체 물건 포장 규정에 의한 포장을 하고 우편물 표면 보기 쉬운 곳에 품명 및 '위험물'이라고 표기하여야 한다.
- 우편물 외부에 발송인의 자격 및 성명을 기재하여야 한다.
- 독약 · 극약 · 독물 및 극물은 이를 2가지 종류로 함께 포장하지 않아야 한다.

④ **산꿀벌 등 일반적으로 혐오성이 없는 살아 있는 동물** : 튼튼한 병, 상자 기타 적당한 용기에 넣어 완전히 그 탈출 및 배설물의 누출을 방지할 장치를 하여야 한다.

9 우편물 접수 및 운송과정

① **우편접수** : 우체국 창구에서 접수를 하거나 우체통에 편지를 넣는 것, 집배원이 이용자에게 접수받는 방법 등이 있다. 위와 같은 방법을 통해서 우편이 접수된다.

② **수집** : 우편물 수집이 완료되면 우편물을 일괄적으로 모아 우편집중국으로 전달한다.

③ **구분** : 우편집중국으로 보내진 우편물은 자동화 기계설비장치로 우편번호에 따라서 구분된다.

④ **운송** : 우편번호에 따라서 구분된 우편물을 목적지 우체국으로 운송된다. 국내는 우편차량, 외국은 비행기나 배를 통해서 운송된다.

10 등기소포와 일반소포

구분	등기소포	일반소포
취급방법	접수에서 배달까지의 송달과정을 기록	기록하지 않음
요금납부 방법	현금, 우표첩부, 우표납부, 신용카드 결제 등	현금, 우표첩부, 신용카드 결제 등
손해배상	망실 · 훼손, 지연배달 시 손해배상청구 가능	없음
반송료	반송 시 반송수수료(등기통상취급수수료) 징수	없음
부가취급 서비스	가능	불가능

11 우체국 택배

KPS : Korea Parcel Service

① **정의** : 소포우편물 방문접수의 공식 브랜드로 업무표장이다. 방문접수 관련 모든 업무를 대표할 때 사용하는 명칭이다.

② **우체국 택배의 종류**

구분	내용
개별택배	개인고객의 방문접수 신청 시 해당 우체국에서 픽업하는 것이다.
계약택배	우체국과 사전 계약을 통해 별도의 요금을 적용하고 주기적으로 픽업하는 방식이다.

③ **방문접수 지역** : 4급 또는 5급 우체국이 설치되어 있는 시 · 군의 시내 배달구와 그 외 관할 우체국장이 방문접수를 실시하는 지역을 대상으로 이루어진다.

12 등기

우편물의 접수에서부터 받는 사람에게 배달되기까지의 전 취급과정을 특정 접수번호로 기록하는 서비스이다. 따라서 취급과정을 명확하게 추적할 수 있다. 우편법에 의거하여 2kg 이하의 통상우편물과 20kg 이하의 소포우편물에 대한 등기취급을 보편적 우편역무로 정함으로써 국민의 권리를 보다 폭넓게 보장할 수 있는 기반을 조성한다. 등기취급 우편물은 손해배상의 대상이 될 수 있다. 우편물 취급과정 중 망실, 훼손 등의 사고가 일어날 경우 등기우편물과 보험등기우편물의 손해배상액이 다르므로 이용자에게 반드시 사전고지 후 발송인이 선택하도록 한다. 등기취급 품목은 통화, 귀중품, 유가증권, 주관적 가치가 있는 것, 보험취급이 필요한 것, 각종 증명취급이 필요한 것, 대금교환우편물, 국내특급, 특별송달, 민원우편 등이 있다.

13 월요일 배달 일간신문

토요일 자 발행 조간신문과 금요일 자 발행 석간신문(주 3회, 5회 발행)을 토요일이 아닌 다음 주 월요일에 배달(월요일이 공휴일인 경우 다음 영업일)하는 일간신문 서비스로, 신문사가 토요일 자 신문을 월요일 자 신문과 함께 봉함하여 발송하려 할 때에 봉함을 허용하고 요금은 각각 적용한다.

14 요금별납

동일인이 동시에 우편물의 종류, 중량, 우편요금 등이 동일하나 우편물을 다량으로 발송할 경우에 개개의 우편물에 우표를 첩부하여 요금을 납부하는 대신 우편물 표면에 '요금별납'의 표시만을 하고 요금은 일괄하여 현금(신용카드 결제 등 포함)으로 별도 납부하는 제도이다. 관할 지방우정청장이 지정하는 우체국(취급국포함)에서만 취급이 가능하다. 고객은 우표를 붙이는 수고를 줄일 수 있고, 우체국은 소인 절차의 생략이 가능하여 편리한 제도이다. 우편물을 종별 · 중량 · 우편요금 등이 같으며 동일인이 동시에 발송해야 한다. 통상우편물과 소포우편물 모두 접수가 가능하나 10통 이상이 되어야 한다. 동일한 10통 이상의 우편물에 중량이 다른 1통의 우편물이 추가될 경우 별납으로 접수가 가능하다.

15 우체국 쇼핑

전국 각 지역에서 생산되는 특산품과 중소기업 우수 제품을 우편망을 이용해 주문자나 제3자에게 직접 공급하여 주는 서비스이다. 서비스의 종류는 다음과 같다.

구분	내용
특산물	검증된 우수한 품질의 농 · 수 · 축산물을 전국 우편망을 이용해 생산자와 소비자를 연결해주는 서비스
꽃배달	우체국이나 인터넷을 이용하여 꽃배달 신청을 한 경우 전국의 업체에서 지정한 시간에 수취인에게 직접 배달하는 서비스
생활마트	중소기업의 공산품을 개인에게 판매하는 오픈마켓 형태 서비스
B2B	우수 중소기업상품의 판로를 확보하고 기업의 구매비용 절감과 투명성을 높이기 위하여 기업과 기업 간의 거래환경을 제공하는 서비스
제철식품	출하시기의 농수산 신선식품, 소포장 가공식품, 친환경 식품 등을 적기에 판매하는 서비스
전통시장	대형 유통업체의 상권 확대로 어려워진 전통시장 소상인들의 판로 확보를 위해 전국의 전통시장 상품을 인터넷 몰에서 판매하는 서비스
창구판매	창구에서 우체국쇼핑상품을 즉시 판매하는 서비스

16 전자우편 서비스

전자우편은 고객(정부, 지자체, 기업체, 개인 등)이 우편물의 내용문과 발송인 · 수신인 정보(주소 · 성명 등)를 전산매체에 저장하여 우체국에 접수하거나 인터넷 우체국을 이용하여 신청하면 내용문 출력과 봉투제작 등 우편물 제작에서 배달까지 전 과정을 우체국이 대신하여 주는 서비스이다. 편지, 안내문, DM우편물을 빠르고 편리하게 보낼 수 있다.

17 인터넷우표

① **정의** : 고객이 인터넷우체국을 통하여 우편물에 해당하는 요금을 지불하고 본인의 프린터에서 직접 우표를 출력하여 사용하는 서비스를 말한다. 위조, 변조 방지를 위하여 수위인 주소가 함께 적혀 있어야 한다.

② **종류** : 일반통상, 등기통상(익일 특급 가능) ※ 국제우편물 및 소포는 대상에서 제외

③ **결제** : 신용카드, 즉시계좌이체, 전자지갑, 휴대폰, 간편 결제 등이 있다.

④ **유효기간** : 국가기관이 아닌 개별 고객 프린터에서 출력하여 사용하므로 우표 오염 또는 훼손의 우려가 있어 출력일 포함 10일 이내에 사용해야 한다. 유효기간을 경과했을 경우에는 30일 이내 재출력 신청해야 사용이 가능하다.

18 우편물 배달흐름

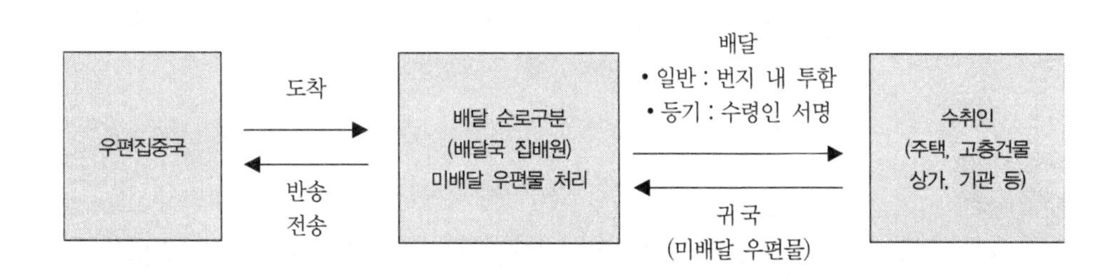

19 우편물 처리과정

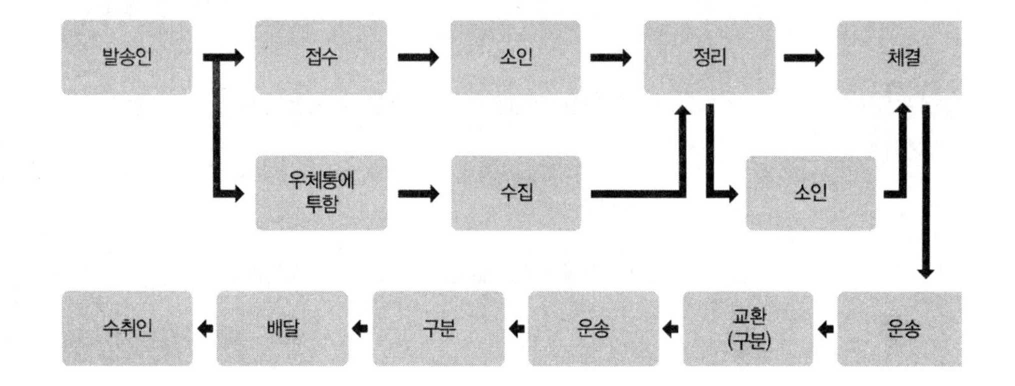

20 집배

집배국에서 근무하는 집배원이 우체통에 투입된 우편물을 지정한 시간에 수집하고, 우편물에 표기된 수취인(반송하는 경우에는 발송인)의 주소지로 배달하는 우편서비스를 말한다.

21 나만의 우표

나만의 우표는 개인의 사진, 기업의 로고·광고 등 고객이 원하는 내용을 우표를 인쇄할 때 비워놓은 여백에 인쇄하여 신청고객에게 판매하는 맞춤형 우표서비스이다. 기념일 선물, 기업 홍보용으로 주로 이용되며, 신청자는 나만의 우표에 사용할 사진이나 이미지에 대한 사용권한이 있어야 한다. 자료가 타인의 초상권, 지적재산권 등을 침해할 수 있는 경우에는 정당한 권리자로부터 받은 사용허가서나 사용권한 증명 서류를 제출해야 한다.

22 내용증명제도

발송인이 수취인에게 어떤 내용의 문서를 언제 발송하였다는 사실을 우편관서가 공적으로 증명해주는 우편서비스이다. 내용증명제도는 개인끼리 채권·채무의 이행 등 권리의무의 특실 변경에 관하여 발송되는 우편물의 문서내용을 후일의 증거로 남길 필요가 있을 경우와 채무자에게 채무의 이행 등을 최고하기 위하여 주로 이용하는 제도이다. 우편관서는 내용과 발송 사실만을 증명할 뿐, 그 사실만으로 법적효력이 발생되는 것은 아님에 주의해야 한다.

23 배달증명

수취인에게 우편물을 배달하거나 교부한 경우 그 사실을 배달우체국에 증명하여 발송인에게 통지하는 부가취급 우편서비스이다. 배달증명은 등기우편물을 발송할 때에 청구하는 '발송 때의 배달증명'과 등기우편물을 발송한 후에 필요에 따라 사후 청구하는 '발송 후의 배달증명'으로 구분할 수 있다.

24 배달증명 요금체계

① 통상우편물 배달증명을 접수할 때 수납금액

일반통상 우편요금 + 등기취급 수수료 + 배달증명취급 수수료 + 배달증명서 송달요금(5g 일반통상우편요금)

② 소포우편물 배달증명을 접수할 때 수납금액

등기소포 우편요금 + 배달증명취급 수수료 + 배달증명서 송달요금(5g 일반통상우편요금)

25 **우편물의 발송**

<table>
<tr><th>구분</th><th>내용</th></tr>
<tr><td>일반우편물</td><td>• 일반우편물을 담은 운송용기는 운송송달증을 등록한 뒤 발송한다.
• 우편물은 형태별로 분류하여 해당 우편상자에 담는다.
• 우편물량이 적을 경우에는 형태별로 묶어 담고 운송용기 국명표는 혼재 표시된 국명표를 사용한다.</td></tr>
<tr><td>부가취급우편물</td><td>• 부가취급우편물을 운송용기에 담을 때에는 책임자나 책임자가 지정하는 사람이 참관하여 우편물류시스템으로 부가취급우편물 송달증을 생성하고 송달증과 현품 수량을 대조 확인한 후 발송한다. 다만, 관리 작업이 끝난 우편물을 발송할 때 부가취급우편물 송달증은 전산 송부(e – 송달증시스템)한다.
• 덮개가 있는 우편상자에 담아 덮개에 운송용기 국명표를 부착하고 묶음끈을 사용하여 반드시 봉함한 후 발송한다.
• 당일 특급우편물은 국내특급우편자루를 사용하고 다른 우편물과 구별하여 해당 배달국이나 집중국으로 별도로 묶어서 발송한다.</td></tr>
<tr><td>운반차의
우편물 적재</td><td>• 분류하거나 구분한 우편물은 섞이지 않게 운송용기에 적재한다.
• 여러 형태의 우편물을 함께 넣을 때에는 작업을 쉽게 하기 위하여
일반소포 → 등기소포 → 일반통상 → 등기통상 → 중계우편물
순서로 적재한다.
• 소포우편물을 적재할 때에는 가벼운 소포와 취약한 소포를 위에 적재하여 우편물이 파손되지 않게 주의한다.</td></tr>
<tr><td>우편물의 교환</td><td>행선지별로 구분한 우편물을 효율적으로 운송하기 위하여 운송거점에서 운송용기(우편자루, 우편상자, 운반차 등)를 서로 교환하거나 중계하는 작업이다.</td></tr>
</table>

26 우편물의 운송

① **정의** : 우편물(운송용기)을 발송국에서 도착국까지 운반하는 것을 말한다.

② **우편물 운송의 우선순위** : 운송할 우편 물량이 많아 차량 · 선박 · 항공기 · 열차 등의 운송수단으로 운송할 수 없는 경우에는 다음과 같이 처리한다.

구분	내용
1순위	당일 특급우편물, EMS우편물
2순위	익일 특급우편물, 등기소포우편물(택배 포함), 등기통상우편물, 국제항공우편물
3순위	일반소포우편물, 일반통상우편물, 국제선편우편물

③ **운송의 종류** : 정기운송, 임시운송, 특별운송

구분	내용
정기운송	우편물의 안정적인 운송을 위하여 관할 지방우정청장이 운송구간, 수수국, 수수시각, 차량톤수 등을 우편물 운송방법 지정서에 지정하고 정기운송을 시행한다.
임시운송	물량의 증감에 따라 정기운송편 이외 방법으로 운송하는 것이다.
특별운송	• 우편물의 일시적인 폭주와 교통의 장애 등 그 밖의 특별한 사정이 있다고 인정되는 경우에는 우편물의 원활한 송달을 위하여 전세차량 · 선박 · 항공기 등을 이용하여 운송한다. • 우편물 정시송달이 가능하도록 최선편에 운송하고 운송료는 사후에 정산한다.

27 우편물 배달의 원칙

구분	내용
배달의 일반원칙	• 우편물은 그 표면에 기재된 곳에 배달한다. • 2인 이상을 수취인으로 하는 경우에는 그 중 1인에게 배달한다. • 우편사서함 번호를 기재한 우편물은 당해 사서함에 배달한다. • 취급과정을 기록하는 우편물은 정당 수령인으로부터 그 수령사실의 확인(서명(전자서명 포함) 또는 날인)을 받고 배달하여야 한다.
우편물 배달 기준	• 모든 지역의 보통우편물의 배달은 우편물이 도착한 날 순로 구분하고 다음날에 배달한다. 단, 집배 순로 구분기 설치국의 오후시간대 도착 우편물은 도착한 다음날 순로 구분하여, 순로 구분한 다음날에 배달한다. • 시한성 우편물, 특급, 등기소포는 도착 당일 구분하여 당일 배달한다.

28 주소의 구성요소

① 도로명주소

구분	동(洞)지역		읍면지역	
시 · 도	서울	서울	강원도	경남
시 · 군 · 구	광진구	종로구	강릉시	창녕군
읍 · 면			주문진읍	창녕읍
도로명	아차산로	청계천로	신리천로	교하길
건물 번호	552	35	72	6
상세주소	○○동 ○○○호	○○○호	○○동 ○○○호	
참고항목 (동, 공동주택명)	(광장동, 극동아파트)	(서린동)	(주공아파트)	

② 지번주소

구분	지번	
시 · 도	서울	경기도
시 · 군 · 구	광진구	남양주시
읍 · 면 · 동	광장동	진건읍
리		용정리
번지	218 – 1	50번지
건물명	극동아파트	
동 · 호수	○○동 ○○○호	

29 국가기초구역제도

① 「도로명주소법」 제2조(정의) : '국가기초구역'이란 도로명주소를 기반으로 국토를 읍 · 면 · 동의 면적보다 작게 일정한 경계를 정하여 나눈 구역을 말한다.

② 「도로명주소법」 제19조(도로명주소 등의 효력) : 제18조 제3항(도로명주소의 고지 등)에 따라 고시된 구역번호는 특별한 사유가 없는 한 통계구역, 우편구역, 관할구역 등 다른 법률에 따라 일반에 공표하는 각종 구역의 기본단위로 한다.

1 우리나라 주소체계

2 우리나라 주소 영문 표기

3 우리나라 주소 한문 표기

PART 03

우리나라 주소

01 우리나라 주소 체계

#도로명주소 #부여방법 #입체주소 #사물주소

CHAPTER

01 도로명주소란?

'도로명주소'란 부여된 도로명, 기초번호, 건물 번호, 상세주소에 의하여 건물의 주소를 표기하는 방식이다. 도로에는 도로명을, 건물에는 도로에 따라 규칙적으로 건물 번호를 부여하여 도로명 + 건물 번호 및 상세주소(동번호 · 층수 · 호수)로 표기하는 주소제도이다.

(1) 상세주소

도로명주소의 건물번호 뒤에 표시되는 동/층/호 정보를 의미한다. 원룸, 다가구주택, 단독주택 중에서 2가구 이상 거주주택, 일반상가, 업무용 빌딩 등을 임대하고 있는 건물에 부과한다.

(2) 상세주소가 필요한 이유

건물 내에 정확한 위치를 안내하여 우편물이나 택배 등의 전달과 수취가 정확하게 하기 위함이다. 또한 응급상황이 발생한 경우 신속하게 대응이 가능하다.

02 지번과 도로명주소 비교

구분	지번	도로명주소
구성	동, 리 + 지번 → 토지 중심	도로명 + 건물 번호 → 건물 중심
주된 용도	토지관리(토지번호) → 토지표시(재산권보호)	위치이동(건물 번호) → 주소표시(위치안내)

03 도로명주소 표기방법

지번	→	도로명주소
시/도, 시/군/구, 읍/면	동일	시/도, 시/군/구, 읍/면
동/리 지번	변경	도로명 건물번호
공동주택명 동/층/호	유사	동/층/호

① 시/도 + 시/군/구 + 도로명 + 건물 번호 + 상세주소(동/층/호) + (참고항목)

② 참고항목은 법정동, 공동주택 명칭이다.

구분	주소 예시
단독주택	서울특별시 서초구 반포대로 23길 6(서초동)
업무용 빌딩	서울특별시 종로구 세종대로 209, 1403호(세종로)
공동주택	서울특별시 영등포구 여의나루로 5, 505동 1402호(여의도동, 여의도 아파트)

③ 도로명은 붙여 쓴다.

예 국회대로∨62길 (×) → 국회대로62길 (○)

④ 도로명과 건물 번호 사이는 띄어 쓴다.

예 국회대로62길9 (×) → 국회대로62길∨9 (○)

⑤ 건물 번호와 동/층/호 사이에는 쉼표(,)를 사용한다.

예 삭주로 89 201동 101호 (×) → 삭주로 89, 201동 101호 (○)

04 도로명주소 부여방법

(1) 도로명

도로구간마다 부여한 이름으로 주된 명사에 도로별 구분기준인 대로 · 로 · 길을 붙여서 부여한다.

'길'은 '로'보다 좁은 도로를 의미하며, '로'는 2차로에서 7차로까지를 의미한다. '대로'는 8차로 이상의 도로를 의미한다.

(2) 건물번호

도로시작점에서 20m 간격으로 왼쪽은 홀수, 오른쪽은 짝수를 부여한다.

(3) 도로구간 설정

직진성 · 연속성을 고려하여 서쪽에서 동쪽, 남쪽에서 북쪽 방향으로 설정한다.

(4) 건물 번호 부여

주된 출입구에 인접한 도로의 기초번호 사용을 원칙으로 한다. 이때, 건물 번호 부여 대상은 생활의 근거가 되는 건물이다.

05 도로명 부여방법

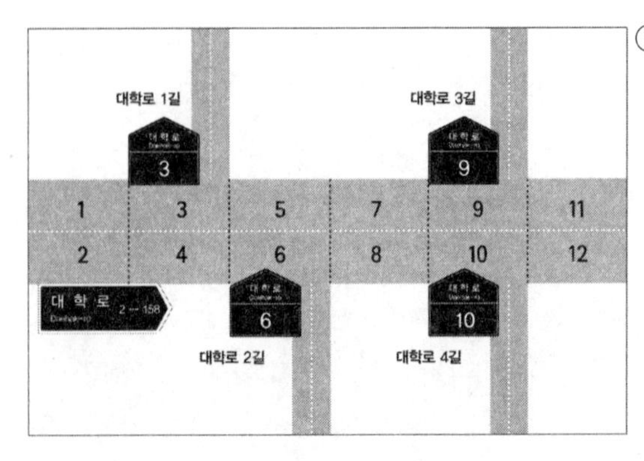

① 일련번호 부여방식

대로/로의 도로명+일련번호+길

'대로/로'에서 분기되는 '길'에 분기되는 지점의 일련번호를 이용하여 도로명을 부여한다.

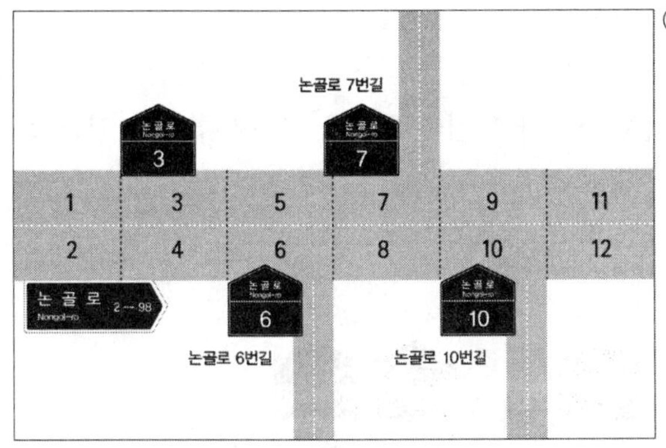

② 기초번호 부여방식

대로/로의 도로명+기초번호+길

'대로/로'에서 분기되는 '길'에 분기되는 지점의 기초번호를 이용하여 도로명을 부여한다.

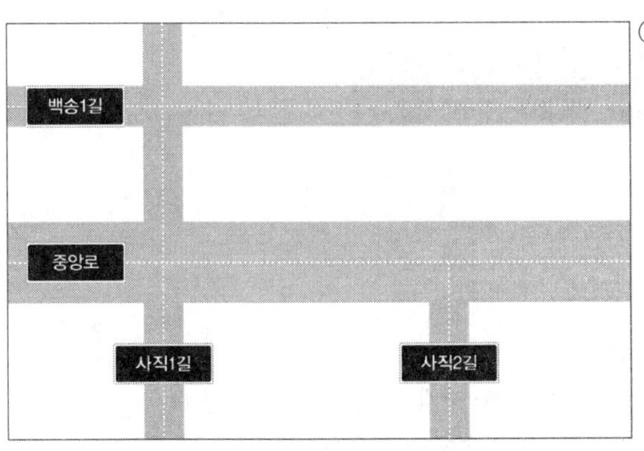

③ 그 외 숫자방식

사직1길, 사직2길, 백송1길

일정지역의 '로/길'에서 지역특성에 맞는 일련번호를 이용하여 도로명을 부여한다.

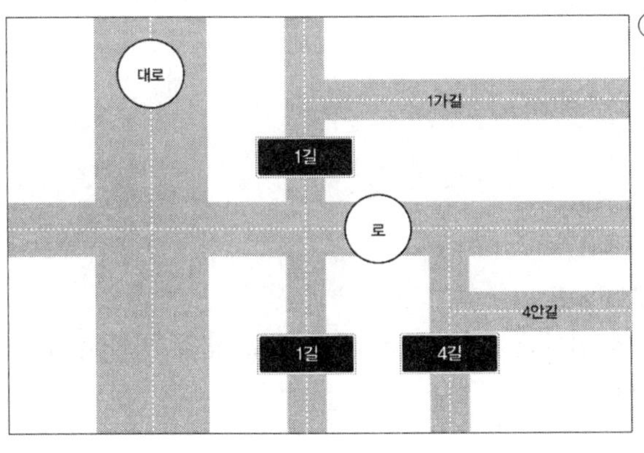

④ 추가로 분기되는 경우

○○로3가길, ○○로3나길…

기초번호방식 또는 일련번호방식의 '길'에서 추가로 분기되는 '길'에 가, 나, 다 순으로 추가하여 도로명을 부여한다.

06 건물 번호 부여방법

2개의 도로에 출입구가 접한 경우 큰 도로의 출입구를 기준으로 하여 건물 번호를 부여한다. 단, 건물 소유자 등이 원하는 경우 달리할 수 있다.

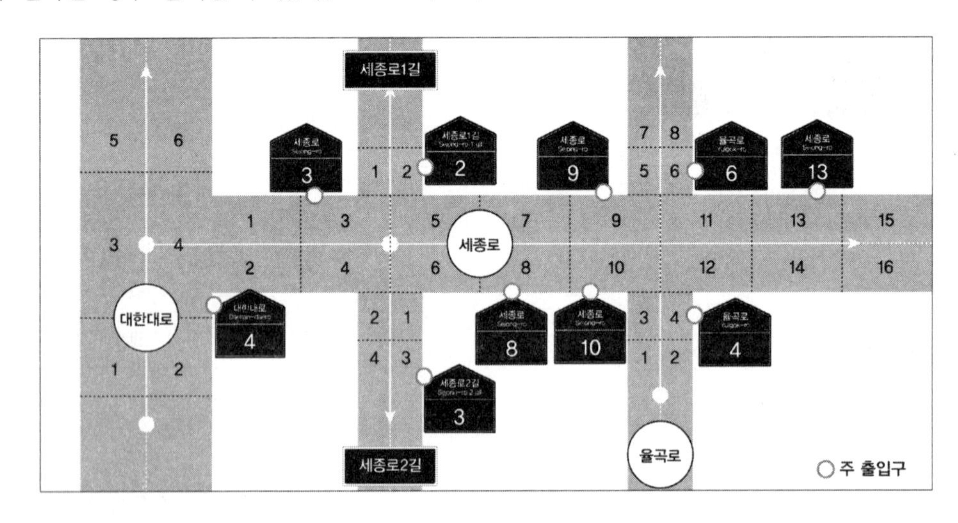

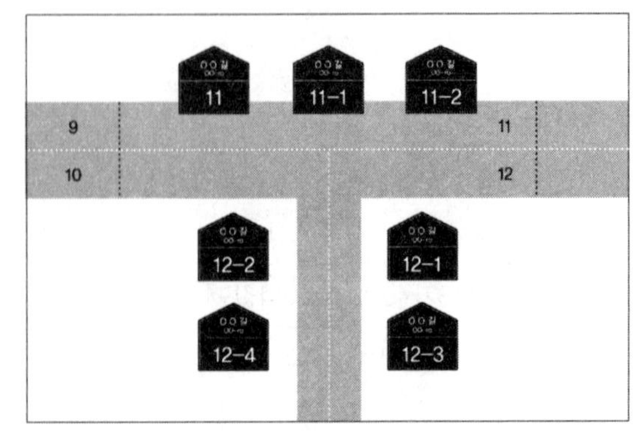

① 부번의 사용

- 하나의 구간에 여러 개의 건물이 있는 경우
- 하나의 구간에 종속구간이 있는 경우

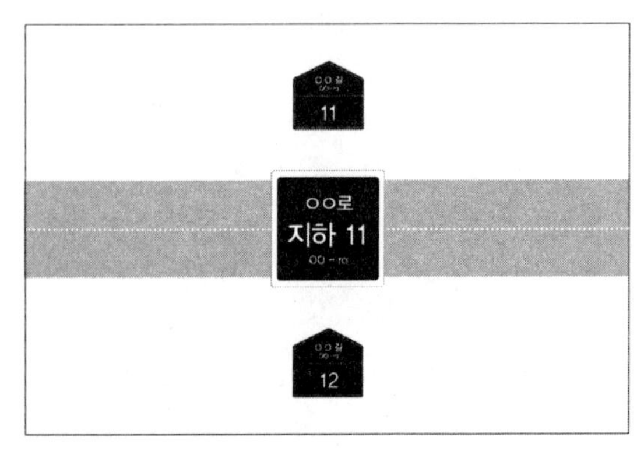

② 지하의 사용

도로에 위치한 지하상가는 건물 번호 앞에 '지하'를 함께 표기한다.

07 상세주소(동/층/호) 부여방법

상세주소는 도로명주소의 건물 번호 뒤에 표시되는 동/층/호 정보로, 원룸 · 다가구주택 · 단독주택 중 2가구 이상 거주주택, 일반상가, 업무용 빌딩 등 임대하고 있는 건물에 부과한다. 건물 내 정확한 위치를 안내할 수 있어 우편물 · 택배 등의 전달 및 수취가 정확하게 이루어질 수 있으며 응급상황 발생 시에 신속한 대응이 가능하다.

(1) 동 번호

아라비아 숫자를 일련번호로 부여하거나 한글을 이용한다. 주 출입구를 기준으로 시계 반대방향으로 부여하는 것을 권장하고 '→'는 주된 진입방향을 의미한다.

예 101동, 102동, 103동, … / 가동, 나동, 다동, …

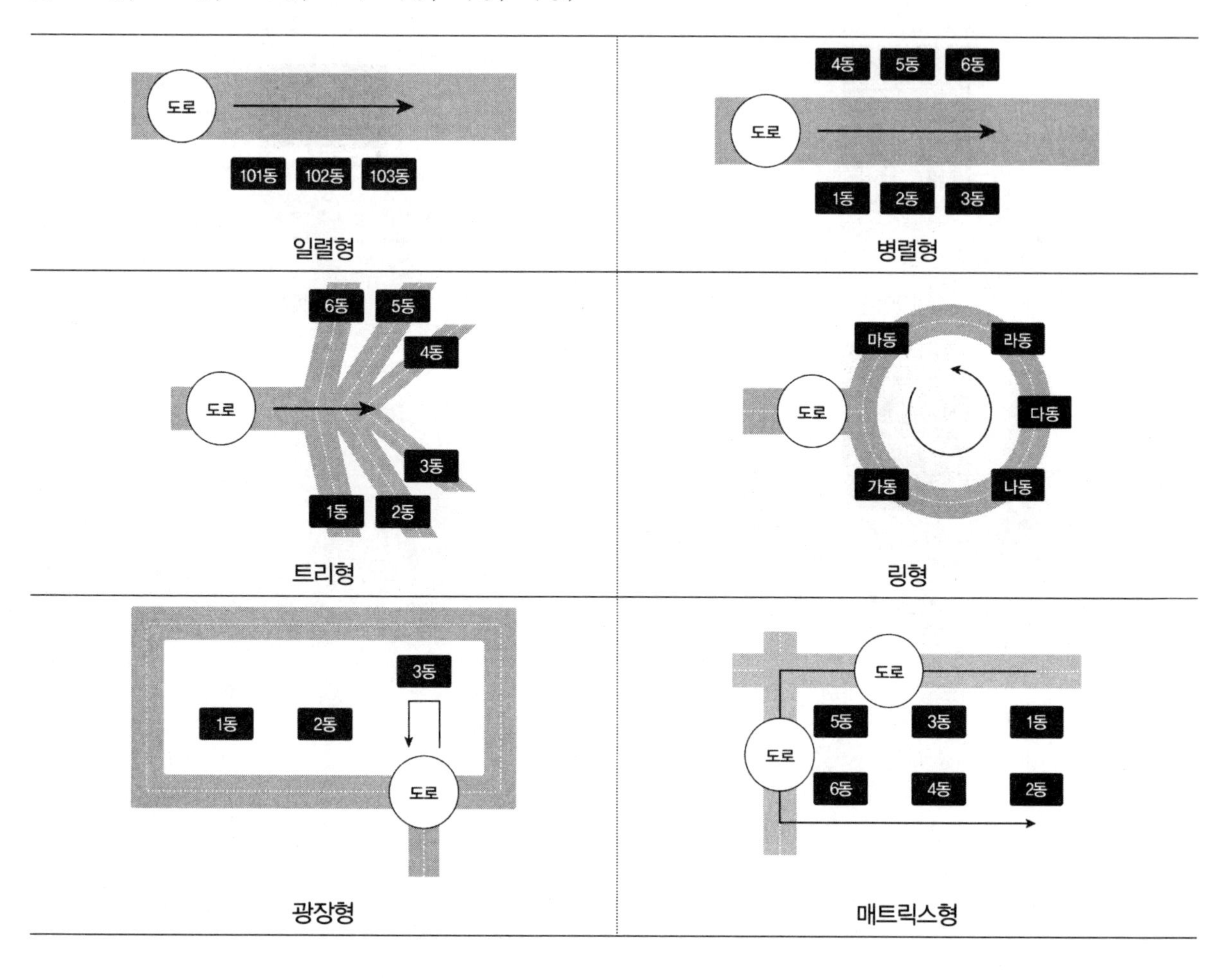

(2) 층수

지표면을 기준으로 지상은 일련번호, 지하층은 '지하'를 붙여 표기(지하층이 1개인 경우, 지하 1층은 '지하층'으로 표기)한다. 화살표는 주된 진입방향을 의미한다. M은 주층(Main), L은 로비(Lobby), G는 주차장(Garage)를 의미한다.

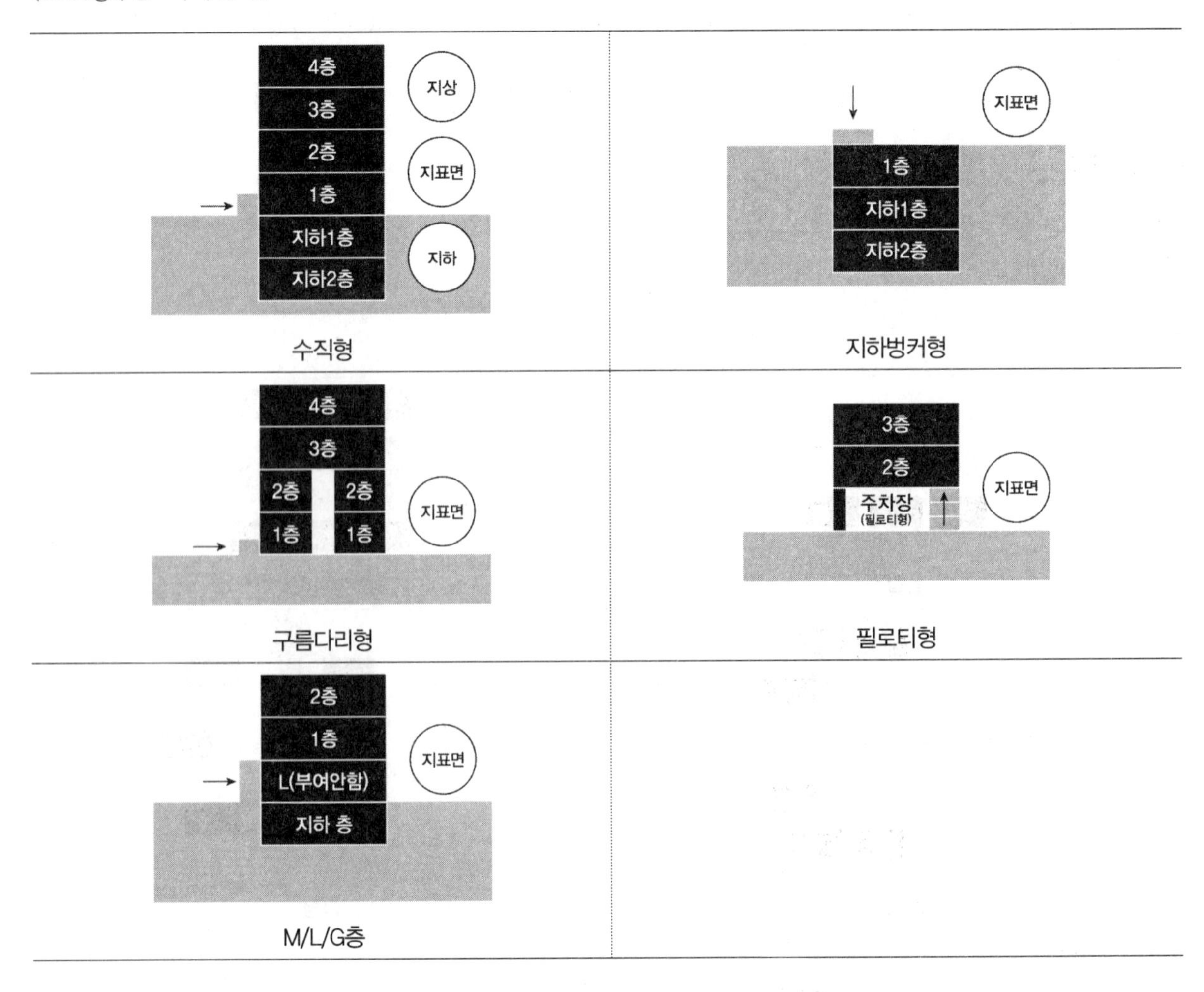

(3) 호수

아라비아 숫자를 순차적으로 사용한다. 주 출입구를 기준으로 시계 반대방향으로 부여하는 것을 권장하며, '–'는 주된 진행방향을 의미한다.

예 101호, 102호, … / 1호, 2호, … / 지하 1호, 지하 2호, … / 지하 101호, 지하 102호, …

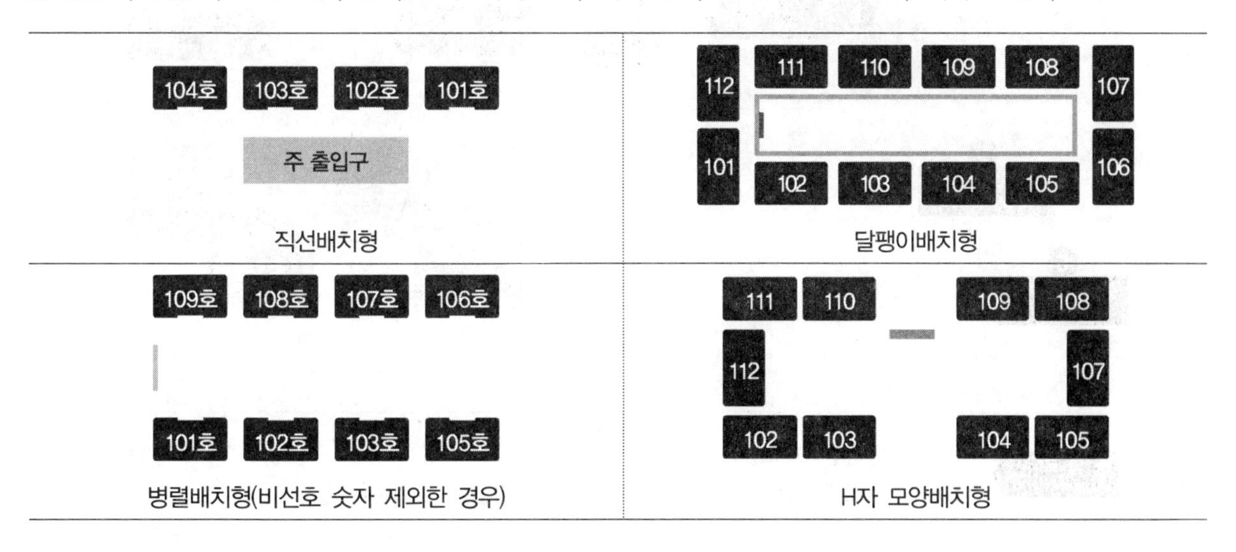

08 주소정보시설 보는 방법

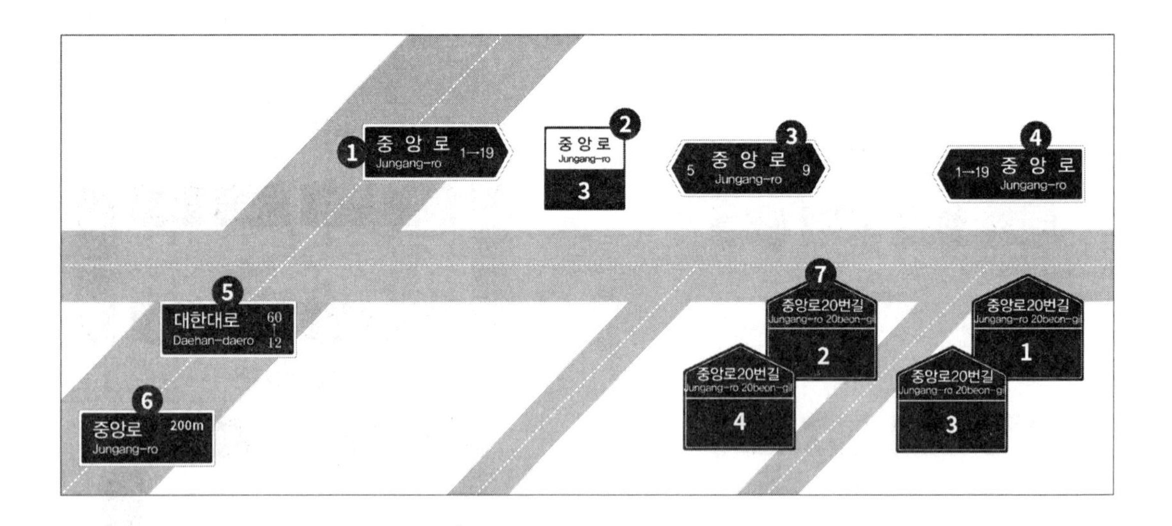

①	중 앙 로 Jungang-ro 1→19	한 방향용 도로명판 (시작지점)	도로시작지점 '1'(→) 방향으로 '중앙로 19'까지 있다. 도로명과 기초번호를 안내한다.
②	중 앙 로 Jungang-ro 3	기초번호판	도로명, 기초번호로 구성된다. 현 위치는 '중앙로 3'이다.
③	5 중 앙 로 Jungang-ro 9	양방향용 도로명판 (교차 지점)	교차로에 설치한다. 왼쪽(←)은 '5' 이하, 오른쪽(→)은 '9' 이상의 건물이 있다.
④	1→19 중 앙 로 Jungang-ro	한 방향용 도로명판 (끝 지점)	현 위치는 도로 끝 지점 '19'이다. (←) 방향으로 '중앙로 1'까지 있다.
⑤	대한대로 Daehan-daero 60 ↑ 12	앞쪽 방향용 도로명판 (진행 방향)	현 위치는 '대한대로'의 12번 지점이다. 도로 끝점은 60번이다.
⑥	중앙로 Jungang-ro 200m	예고용 도로명판	현 위치에서 200m 전방에 중앙로가 있다.
⑦	중앙로20번길 Jungang-ro 20beon-gil 2	건물번호판	도로명과 건물번호로 구성된다.

(1) 건물번호판

일반용	
세종대로 Sejong-daero 209	중앙로 35 Jungang-ro
관공서용	**문화재 - 관광지용**
262 중앙로	24 보성길 Boseong-gil

(2) 도로명판

앞쪽 방향용(진행방향)	양방향용(교차지점)
방배로 bangbae-ro 71 ↑ 1	54 방 배 로 Bangbae-ro 58
한 방향용(기점)	**한 방향용(종점)**
방배로 Bangbae-ro 1 → 71	1 ← 71 방배로 Bangbae-ro
시작 지점	**끝 지점**
강남대로 Gangnam-daero 1 → 699	1 ← 65 대정로23번길 Daejeong-ro 23beon-gil

강남대로	넓은 길, 시작시점을 의미한다.	대정로23번길	'대정로' 시작지점에서부터 약 230m 지점에서 왼쪽으로 분기된 도로임을 의미한다.
1 →	현 위치는 도로 시작점 '1'이다.	← 65	현 위치는 도로 끝 지점 '65'이다.
1 → 699	강남대로는 6.99km(= 699 × 10m)이다.	1 → 65	이 도로는 650m(=65 × 10m)이다.

교차 지점		진행 방향	
92 중 앙 로 96 Jungang-ro		사임당로 250 ↑ 92 Saimdang-ro	
중앙로	전방 교차 도로는 '중앙로'이다.	사임당로	중간지점을 의미한다.
92	좌측으로 92번 이하에 건물이 위치함을 의미한다.	92 →	현 위치는 도로상의 92번임을 의미한다.
96	우측으로 96번 이상에 건물이 위치함을 의미한다.	92 → 250	남은 거리는 1.5km = (250 − 92) × 10m이다.
기초번호판		예고용 도로명판	
종 로 Jong-ro 2345		종로 200m Jong-ro	
종로	도로명	종로	현 위치에서 다음에 나타날 도로는 '종로'임을 의미한다.
2345	기초번호	200m	현 위치로부터 전방 200m에 예고한 도로가 있다.

09 도로명주소로 지도 읽는 방법

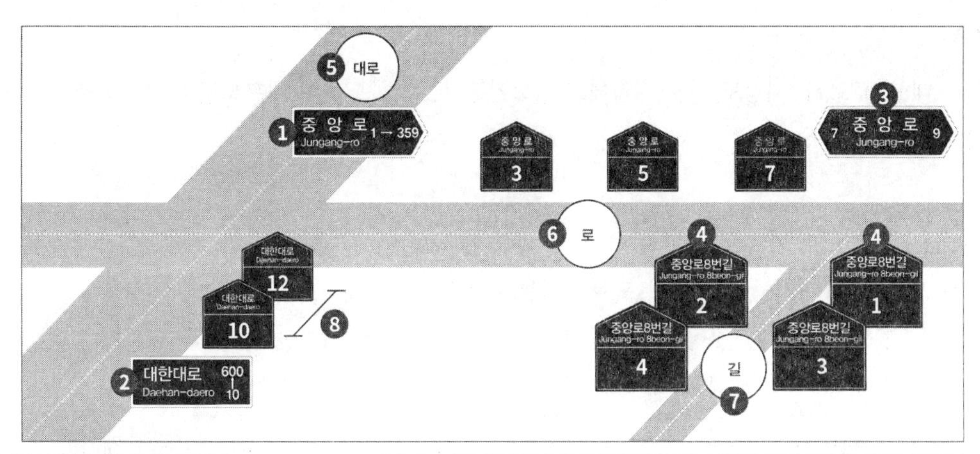

①	중 앙 로 1 – 359 Jungang-ro	현 위치는 '중앙로'의 도로시작지점 '1'부터 (→) 방향으로 '중앙로 359'까지 도로명주소가 부여된다.
②	대한대로 600 ↑ 10 Daehan-daero	현 위치는 '대한대로'의 중간지점 '10'부터 (↑) 방향으로 '대한대로 600'까지 있다.
③	7 중 앙 로 9 Jungang-ro	교차로에 설치되며 왼쪽(←)은 '7' 이하 오른쪽은 '9' 이상의 건물들이 있다.
④	중앙로8번길 2 / 중앙로8번길 1	'중앙로'를 기점으로 왼쪽은 홀수, 오른쪽은 짝수이다.
⑤	대로	8차로 이상의 도로이다.
⑥	로	2차로에서 7차로까지의 도로이다.
⑦	길	'로'보다 좁은 도로이다.
⑧	대한대로 12 / 대한대로 10	건물사이 간격은 약 20m라는 의미이다.

10 기타 주소

(1) 입체주소

도로명 부여 대상 도로가 지상도로에서 입체도로(고가도로, 지하도로), 내부도로(건물, 구조물 안 통로)로 확대되었다.

① 정의

㉠ **입체도로** : 공중이나 지하에 설치된 도로 및 통로를 의미한다. 고가도로는 공중에 설치된 도로 및 통로이고 지하도로는 지하에 설치된 도로 및 통로이다.

㉡ **내부도로** : 건물 또는 구조물 내부에 설치된 도로 및 통로를 의미한다. 건물 내부에 설치된 도로 및 통로 또는 건물이 아닌 구조물 내부에 설치된 도로 및 통로를 의미한다.

구분	종전		개선
도로명 대상 도로	지상도로(지표면)	→	지상도로(지표면)
	–		입체도로(고가도로, 지하도로)
	–		내부도로(건물/구조물 안 통로)

② **입체도로 등의 도로명 부여방법** : 도로명을 부여하는 도로를 지상도로 외에 입체도로와 내부도로로 확대한다. 지상도로의 도로명은 현재와 같이 '대로, 로, 길'을 부여하지만 입체도로와 내부도로는 각각의 도로 유형과 장소를 나타내는 명칭을 포함하여 부여한다.

예 서울특별시 송파구잠실역중앙통로 110

구분	도로명판
고가도로	세종고가도로 1 → 205 Sejeonggogkdoro
지상건물	세종로 Sejeongro 153
지하도로	세종지하도로 1 → 231 Sejeongjihadoro

③ 행정구역 미결정 지역에서의 도로명 표기 방법

㉠ 새만금 등 행정구역이 미결정된 지역에서는 도로명주소를 사용할 때 행정구역 명칭을 대신하여 "사업지역 명칭"을 사용한다.

㉡ 행정구역이 결정된 이후에는 해당 시/도와 시/군/구의 명칭으로 변경하여 사용한다.

예 전라북도 새만금지구 새만금중앙대로3을 사용하다가 행정구역이 결정된후에는 전라북도 ㅇㅇ시(군) 새만금중앙대로3으로 전환한다.

④ 도로명판 종류

㉠ 한방향용/양방향용/앞쪽방향용/예고용

한방향용		양방향용	
벽면 부착형	천장 부착형	벽면 부착형	천장 부착형
잠실역중앙통로 2 → 64 Jamsilyeokjungangtongro	잠실역중앙통로 2 → 64 Jamsilyeokjungangtongro 2 → 64	3 잠실역중앙통로 7 Jamsilyeokjungangtongro	3 잠실역중앙통로 7 Jamsilyeokjungangtongro 3 ← → 7
앞쪽방향용		예고용	
벽면 부착형	천장 부착형	벽면 부착형	천장 부착형
잠실역중앙통로 2 ↑ 264 Jamsilyeokjungangtongro	잠실역중앙통로 222 ↑ 264 Jamsilyeokjungangtongro	잠실역중앙통로 Jamsilyeokjungangtongro	잠실역중앙통로 Jamsilyeokjungangtongro 내려가는 곳

터널, 지하도로 등의 기초번호판의 구조	내부도로 기초번호판 구조		
	일반용	둥근 기둥용	각진 기둥용
생거진천로 Saenggeojincheon-ro 778 진천터널(상행) 구조요청 119 | 범죄신고 112	잠실역중앙통로 Jamsilyeokjungangtongro 112 긴급구조 위치정보	잠실역 주차장 Jamsilyeokjuchajang 12	잠실역 주차장 Jamsilyeokjuchajang 12

건물번호판의 구조		사물주소판의 구조	
벽면 부착형	천장 부착형	벽면 부착형	천장 부착형
잠실역중앙통로 Jamsilyeokjungangtongro 112	잠실역중앙통로 Jamsilyeokjungangtongro 112	잠실역중앙통로 Jamsilyeokjungangtongro 87 공중전화부스	잠실역중앙통로 Jamsilyeokjungangtongro 87 공중전화부스

⑤ **특징** : 새로운 도로명주소법으로 개정되면서 생겨난 주소이다. 재난이나 위급상황에도 신속한 구조 · 구급활동이 가능해지며 드론배송, 자율주행자동차, 사물인터넷, 실내 내비게이션, 자율주행로봇 배달 등에 다방면으로 사용되는 기반이 될 것으로 예상된다.

(2) 사물주소

① **정의** : 주소부여가 어려운 곳에 도로명과 기초번호(전신주 등에 표시)를 이용하여 사물에 주소를 부여한 것이다. 안전사고가 발생하면 신속하게 대응하고 내비게이션 등에서 안내체계를 마련하기 위한 것이다.

② **사물주소 표기**

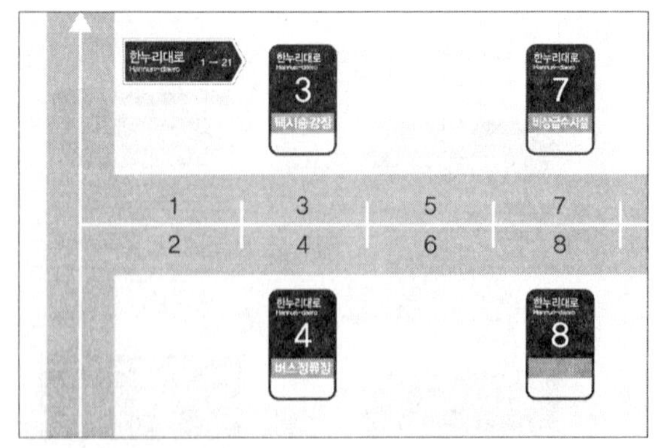

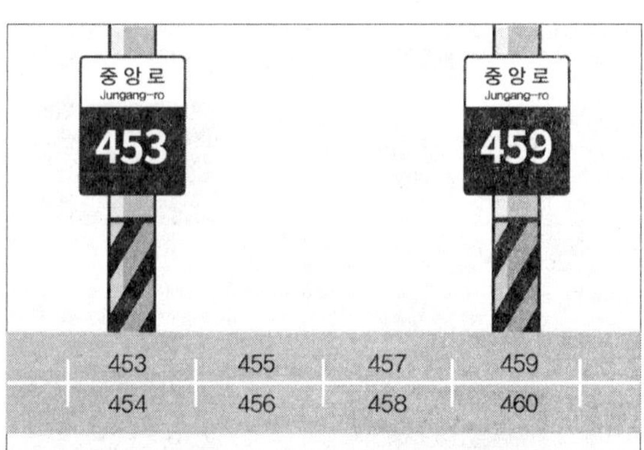

㉠ 시설물(시설 및 장소, 이하 '시설물')이 건물 등의 밖에 있는 경우 : 행정구역명 + 도로명 + 사물번호 + 사물유형명

㉡ 시설물이 건물 등의 안에 있는 경우 : 행정구역명 + 도로명 + 건물번호 + 쉼표(,) + 사물번호 + 사물유형명

④ 사물 · 공간주소 정보 시설 유형

㉠ **육교승강기 :** 도로와 육교 사이에 이동을 위해 설치한 승강기이다. 육교승강기의 형상을 면형으로 표시하여 승강기 출입구가 중심점이다.

㉡ **둔치 주차장 :** 하천의 둔치에 설치된 노외 주차장으로 둔치주차장의 주차면과 차량 이동이 가능한 범위를 포함한 경계를 면형으로 표시하여 도로와 연결된 출입구가 중심점이다.

㉢ **지진옥외 대피장소 :** 긴급대피 목적으로 만들어진 곳으로 건물의 옹벽 담장 등의 시설을 제외한 대피장소(공터 등)의 경계를 면형으로 표시한다. 출입구가 있다면 도로와 연결된 출입구의 중심점, 출입구가 없이 개방된 경우 다중의 접근이 편리한 통행로가 중심점이다.

㉣ **버스정류장 :** 버스정류장의 안내표지 또는 승차대의 중심점을 점형으로 표시하여 버스정류장 안내표지 또는 승차대가 중심점이다.

㉤ **택시승강장 :** 택시운송사업용 자동차가 승객을 승하차 시키거나 태우기 위한 곳으로 택시승강장 안내표지나 승차대의 중심점을 점형으로 표시하고 택시승강장 안내표지 또는 승차대가 중심점이다.

㉥ **졸음쉼터 :** 졸음운전 사고 예방을 위한 휴식공간이다. 졸음쉼터로 사용되는 주차장 시설 및 가속 감속 차선을 포함하여 면형으로 표시한다. 도로의 실폭에서 졸음쉼터의 가속 감속차선이 사라지는 지점이 중심점이다.

㉦ **지진해일긴급대피장소 :** 긴급(임시)피난 목적으로 대피하는 장소로 운동장, 주차장, 건물옥상, 도로위 등의 경계를 면형으로 표시한다. 출입구가 도로와 연결된 경우에는 출입구의 중심점, 출입구가 없이 개방된 경우 다중의 접근이 편리한 통행로가 중심점이다.

㉧ **소공원 :** 소규모 토지를 이용한 공원으로 운동 및 놀이시설이나 휴게시설 등의 부대시설을 포함하여 공원의 경계를 면형으로 표시한다. 출입구가 도로와 연결된 경우 출입구의 중심점, 출입구가 없이 개방된 경우 다중의 접근이 편리한 통행로가 중심점이다.

㉨ **어린이공원 :** 어린이 보건 및 정서 향상을 위한 공원으로 운동 및 놀이시설이나 휴게시설 등의 부대시설을 포함하여 공원의 경계를 면형으로 표시한다. 출입구가 도로와 연결된 경우 출입구의 중심점이고, 출입구가 없이 개방된 경우 다중의 접근이 편리한 통행로가 중심점이다.

㉩ **비상급수시설 :** 전쟁, 지진, 풍수해 등의 자연재해로 인한 비상재난 발생시 식수나 생활용수 확보를 위한 시설로 비상급수시설의 중심점을 점형으로 표시한다. 비상급수시설이 중심점이다.

㉪ **인명구조함 :** 인명구조장비를 보관하는 시설이나 장치로 인명구조함 중심점을 점형으로 표시하고 인명구조함이 중심점이다.

㉫ **드론배달점 :** 드론의 주소기반 이착륙 지점으로 드론 배달점 설치지점을 점형으로 표시하고 드론배달점이 설치지점이다.

(3) 국가지점번호 및 기초번호

① 국가지점번호

㉠ 의미 : 기후변화로 인한 대형 산불이나 태풍과 같은 재난안전사고에 신속하게 대응하기 위한 것으로 논, 밭, 산악지역 등에서 벌어지는 범죄대처 및 응급 구조용으로 활용된다.

㉡ 표기 : 산악 등에는 국가지점번호를 사용하여 모든 공간을 주소로 표시한다. '한글 2글자+숫자 8자리'로 표기한다.

예 라마 2120 0425

② 기초번호 : 도로변 공터에서 도로명과 기초번호로 표시된다.

③ 국가지점번호와 기초번호는 응급상황에 신속한 대응을 위해 위치표시로 활용된다.

CHAPTER 02

우리나라 주소 영문 표기

주소영문표기 # 표기원칙

01 도로명주소 영문 표기 원칙

작은 단위에서 큰 단위 순으로 표기한다. 참고 항목(법정동, 공동주택명)은 주소의 간결화를 위해 표기하지 않을 수 있으나, 필요할 경우 맨 앞(상세주소 앞)에 괄호로 표기한다.

예 서울특별시 광진구 광나루로507길 78, 101동 102호(광장동, 신도아파트)
(Gwangjang-Dong, Sindo APT) 101-Dong 102-ho, 78, gwangnaru-ro 507-gil, Gwangjin-gu, Seoul

(1) 행정구역 명칭

'국어의 로마자 표기법'에 따라 전체를 로마자로 표기하되 특별시와 광역시의 경우는 행정구역단위(-si) 생략이 가능하다.

예 서울특별시 강남구 강남대로10길 109 → 109, Gangnam-daero 10-gil, Gangnam-gu, Seoul

(2) 도로명

로마자로 표기하며 도로의 구분 기준인 '대로, 로, 길(번길)'은 '-daero, -ro, -gil(beon-gil)'로 표기한다. 필요에 따라 영어식 표기(Blvd. St. Rd. 등) 병기가 가능하다.

예 경기도 양주시 시민로5번길 18 → 18, Simin-ro 5beon-gil, Yangju-si, Gyeonggi-do

(3) 상세주소

'동', '층', '호'는 로마자 표기를 원칙으로 한다.

예 대구광역시 수성구 달구벌대로323번길 56, 705동 1104호
- 705-dong 1104-ho, 56, Dalgubeol-daero 323beon-gil, Suseong-gu, Daegu
- 705-1104, 56, Dalgubeol-daero 323beon-gil, Suseong-gu, Daegu

국어의 로마자 표기법

① 모음

ㅏ	ㅓ	ㅗ	ㅜ	ㅡ	ㅣ	ㅐ	ㅔ	ㅚ	ㅟ
a	eo	o	u	eu	i	ae	e	oe	wi

ㅑ	ㅕ	ㅛ	ㅠ	ㅒ	ㅖ	ㅘ	ㅙ	ㅝ	ㅞ	ㅢ
ya	yeo	yo	yu	yae	ye	wa	wae	wo	we	ui

② 자음

ㄱ	ㄲ	ㅋ
g, k	kk	k

ㄷ	ㄸ	ㅌ
d, t	tt	t

ㅂ	ㅃ	ㅍ
b, p	pp	p

ㅈ	ㅉ	ㅊ
j	jj	ch

ㅅ	ㅆ	ㅎ
s	ss	h

ㄴ	ㅁ	ㅇ	ㄹ
n	m	ng	r, l

- 'ㄱ, ㄷ, ㅂ'은 모음 앞에서는 'g, d, b'로, 자음 앞이나 어말에서는 'k, t, p'로 적는다.
- 'ㄹ'은 모음 앞에서는 'r'로, 자음 앞이나 어말에서는 'l'로 적는다. 단, 'ㄹㄹ'은 'll'로 적는다.

③ '도, 시, 군, 구, 읍, 면, 리, 동'의 행정 구역 단위와 '가'는 각각 'do, si, gun, gu, eup, myeon, ri, dong, ga'로 적고, 그 앞에는 붙임표(－)를 넣는다. 붙임표(－) 앞뒤에서 일어나는 음운 변화는 표기에 반영하지 않는다.

충청북도	Chungcheongbuk－do
의정부시	Uijeongbu－si
도봉구	Dobong－gu

삼죽면	Samjuk－myeon
당산동	Dangsan－dong
종로 2가	Jongno 2(i)－ga

- '시, 군, 읍'의 행정 구역 단위는 생략할 수 있다.

청주시	Cheongju	함평군	Hampyeong	순창읍	Sunchang

④ 자연 지물명, 문화재명, 인공 축조물명은 붙임표(－) 없이 붙여 쓴다.

남산	Namsan	불국사	Bulguksa	종묘	Jongmyo

02 주소 영문 표기

(1) 서울특별시 → Seoul

지역명	영문 표기
강남구	Gangnam-gu
강동구	Gangdong-gu
강북구	Gangbuk-gu
강서구	Gangseo-gu
관악구	Gwanak-gu
광진구	Gwangjin-gu
구로구	Guro-gu
금천구	Geumcheon-gu
노원구	Nowon-gu
도봉구	Dobong-gu
동대문구	Dongdaemun-gu
동작구	Dongjak-gu
마포구	Mapo-gu
서대문구	Seodaemun-gu
서초구	Seocho-gu
성동구	Seongdong-gu
성북구	Seongbuk-gu
송파구	Songpa-gu
양천구	Yangcheon-gu
영등포구	Yeongdeungpo-gu
용산구	Yongsan-gu
은평구	Eunpyeong-gu
종로구	Jongno-gu
중구	Jung-gu
중랑구	Jungnang-gu

(2) 부산광역시 → Busan

지역명	영문 표기
강서구	Gangseo-gu
금정구	Geumjeong-gu
남구	Nam-gu
동구	Dong-gu
동래구	Dongnae-gu
부산진구	Busanjin-gu
북구	Buk-gu
사상구	Sasang-gu
사하구	Saha-gu
서구	Seo-gu
수영구	Suyeong-gu
연제구	Yeonje-gu
영도구	Yeongdo-gu
중구	Jung-gu
해운대구	Haeundae-gu
기장군	Gijang-gun

(3) 대구광역시 → Daegu

지역명	영문 표기
남구	Nam－gu
달서구	Dalseo－gu
동구	Dong－gu
북구	Buk－gu
서구	Seo－gu
수성구	Suseong－gu
중구	Jung－gu
달성군	Dalseong－gun
군위군	Gunwi－gun

(4) 인천광역시 → Incheon

지역명	영문 표기
계양구	Gyeyang－gu
미추홀구	Michuhol－gu
남동구	Namdong－gu
동구	Dong－gu
부평구	Bupyeong－gu
서구	Seo－gu
연수구	Yeonsu－gu
중구	Jung－gu
강화군	Ganghwa－gun
옹진군	Ongjin－gun

(5) 광주광역시 → Gwangju

지역명	영문 표기
광산구	Gwangsan－gu
남구	Nam－gu
동구	Dong－gu
북구	Buk－gu
서구	Seo－gu

(6) 대전광역시 → Daejeon

지역명	영문 표기
대덕구	Daedeok－gu
동구	Dong－gu
서구	Seo－gu
유성구	Yuseong－gu
중구	Jung－gu

(7) 울산광역시 → Ulsan

지역명	영문 표기
남구	Nam－gu
동구	Dong－gu
북구	Buk－gu
중구	Jung－gu
울주군	Ulju－gun

(8) 강원특별자치도 → Gangwon-do

지역명	영문 표기
강릉시	Gangneung-si
동해시	Donghae-si
삼척시	Samcheok-si
속초시	Sokcho-si
원주시	Wonju-si
춘천시	Chuncheon-si
태백시	Taebaek-si
고성군	Goseong-gun
양구군	Yanggu-gun
정선군	Jeongseon-gun
철원군	Cheorwon-gun
평창군	Pyeongchang-gun
홍천군	Hongcheon-gun
화천군	Hwacheon-gun
횡성군	Hoengseong-gun
양양군	Yangyang-gun
영월군	Yeongwol-gun
인제군	Inje-gun

(9) 경기도 → Gyeonggi-do

지역명	영문 표기
고양시	Goyang-si
과천시	Gwacheon-si
광명시	Gwangmyeong-si
광주시	Gwangju-si
구리시	Guri-si
군포시	Gunpo-si
김포시	Gimpo-si
남양주시	Namyangju-si
동두천시	Dongducheon-si
부천시	Bucheon-si
수원시	Suwon-si
성남시	Seongnam-si
시흥시	Siheung-si
안산시	Ansan-si
안성시	Anseong-si
안양시	Anyang-si
양주시	Yangju-si
여주시	Yeoju-si
오산시	Osan-si
용인시	Yongin-si
의왕시	Uiwang-si
의정부시	Uijeongbu-si
이천시	Icheon-si
파주시	Paju-si
평택시	Pyeongtaek-si
포천시	Pocheon-si
하남시	Hanam-si
화성시	Hwaseong-si
가평군	Gapyeong-gun
양평군	Yangpyeong-gun
연천군	Yeoncheon-gun

(10) 경상남도 → Gyeongsangnam-do

지역명	영문 표기
거제시	Geoje-si
김해시	Gimhae-si
밀양시	Miryang-si
사천시	Sacheon-si
양산시	Yangsan-si
진주시	Jinju-si
창원시	Changwon-si
통영시	Tongyeong-si
거창군	Geochang-gun
고성군	Goseong-gun
남해군	Namhae-gun
산청군	Sancheong-gun
의령군	Uiryeong-gun
창녕군	Changnyeong-gun
하동군	Hadong-gun
함안군	Haman-gun
함양군	Hamyang-gun
합천군	Hapcheon-gun

(11) 경상북도 → Gyeongsangbuk-do

지역명	영문 표기
경산시	Gyeongsan-si
경주시	Gyeongju-si
구미시	Gumi-si
김천시	Gimcheon-si
문경시	Mungyeong-si
상주시	Sangju-si
안동시	Andong-si
영주시	Yeongju-si
영천시	Yeongcheon-si
포항시	Pohang-si
고령군	Goryeong-gun
봉화군	Bonghwa-gun
성주군	Seongju-gun
영양군	Yeongyang-gun
예천군	Yecheon-gun
울릉군	Ulleung-gun
울진군	Uljin-gun
의성군	Uiseong-gun
청도군	Cheongdo-gun
청송군	Cheongsong-gun
칠곡군	Chilgok-gun
영덕군	Yeongdeok-gun

⑿ 전라남도 → Jeollanam-do

지역명	영문 표기
광양시	Gwangyang-si
나주시	Naju-si
목포시	Mokpo-si
순천시	Suncheon-si
여수시	Yeosu-si
강진군	Gangjin-gun
고흥군	Goheung-gun
곡성군	Gokseong-gun
구례군	Gurye-gun
담양군	Damyang-gun
무안군	Muan-gun
보성군	Boseong-gun
신안군	Sinan-gun
영광군	Yeonggwang-gun
영암군	Yeongam-gun
완도군	Wando-gun
장성군	Jangseong-gun
장흥군	Jangheung-gun
진도군	Jindo-gun
함평군	Hampyeong-gun
해남군	Haenam-gun
화순군	Hwasun-gun

⒀ 전북특별자치도 → Jeonbuk-do

지역명	영문 표기
군산시	Gunsan-si
김제시	Gimje-si
남원시	Namwon-si
익산시	Iksan-si
전주시	Jeonju-si
정읍시	Jeongeup-si
고창군	Gochang-gun
무주군	Muju-gun
부안군	Buan-gun
순창군	Sunchang-gun
완주군	Wanju-gun
임실군	Imsil-gun
장수군	Jangsu-gun
진안군	Jinan-gun

⒁ 제주특별자치도 → Jeju-do

지역명	영문 표기
서귀포시	Seogwipo-si
제주시	Jeju-si

(15) **충청남도 → Chungcheongnam-do**

지역명	영문 표기
계룡시	Gyeryong-si
공주시	Gongju-si
논산시	Nonsan-si
당진시	Dangjin-si
보령시	Boryeong-si
서산시	Seosan-si
아산시	Asan-si
천안시	Cheonan-si
금산군	Geumsan-gun
부여군	Buyeo-gun
서천군	Seocheon-gun
예산군	Yesan-gun
청양군	Cheongyang-gun
태안군	Taean-gun
홍성군	Hongseong-gun

(16) **충청북도 → Chungcheongbuk-do**

지역명	영문 표기
제천시	Jecheon-si
청주시	Cheongju-si
충주시	Chungju-si
괴산군	Goesan-gun
단양군	Danyang-gun
보은군	Boeun-gun
영동군	Yeongdong-gun
옥천군	Okcheon-gun
음성군	Eumseong-gun
증평군	Jeungpyeong-gun
진천군	Jincheon-gun

(17) **세종특별자치시 → Sejong**

지역명	영문 표기
세종시	Sejong-si

03 우리나라 주소 한문 표기

주소한문표기 # 표기원칙

CHAPTER

(1) **서울특별시** → 서울特別市

지역명	한문 표기
강남구	江南區
강동구	江東區
강북구	江北區
강서구	江西區
관악구	冠岳區
광진구	廣津區
구로구	九老區
금천구	衿川區
노원구	蘆原區
도봉구	道峰區
동대문구	東大門區
동작구	銅雀區
마포구	麻浦區
서대문구	西大門區
서초구	瑞草區
성동구	城東區
성북구	城北區
송파구	松坡區
양천구	陽川區
영등포구	永登浦區
용산구	龍山區
은평구	恩平區
종로구	鍾路區
중구	中區
중랑구	中浪區

(2) **인천광역시** → 仁川廣域市

지역명	한문 표기
강화군	江華郡
계양구	桂陽區
남동구	南洞區
동구	東區
미추홀구	彌鄒忽區(南區 → 남구)
부평구	富平區
서구	西區
연수구	延壽區
옹진군	甕津郡
중구	中區

(3) **대구광역시** → 大邱廣域市

지역명	한문 표기
남구	南區
달서구	達西區
달성군	達城郡
동구	東區
북구	北區
서구	西區
수성구	壽城區
중구	中區
군위군	軍威郡

(4) 경기도 → 京畿道

지역명	한문 표기
가평군	加平郡
고양시 덕양구	高陽市 德陽區
고양시 일산동구	高陽市 一山東區
고양시 일산서구	高陽市 一山西區
과천시	果川市
광명시	光明市
광주시	廣州市
구리시	九里市
군포시	軍浦市
김포시	金浦市
남양주시	南楊州市
동두천시	東豆川市
부천시 소사구	富川市 素砂區
부천시 오정구	富川市 梧亭區
부천시 원미구	富川市 遠美區
성남시 분당구	城南市 盆唐區
성남시 수정구	城南市 壽井區
성남시 중원구	城南市 中院區
수원시 권선구	水原市 勸善區
수원시 영통구	水原市 靈通區
수원시 장안구	水原市 長安區
수원시 팔달구	水原市 八達區
시흥시	始興市
안산시 단원구	安山市 檀園區
안산시 상록구	安山市 常綠區
안성시	安城市

지역명	한문 표기
안양시 동안구	安養市 東安區
안양시 만안구	安養市 萬安區
양주시	楊州市
양평군	楊平郡
여주시	驪州市
연천군	漣川郡
오산시	烏山市
용인시 기흥구	龍仁市 器興區
용인시 수지구	龍仁市 水枝區
용인시 처인구	龍仁市 處仁區
의왕시	義王市
의정부시	議政府市
이천시	利川市
파주시	坡州市
평택시	平澤市
포천시	抱川市
하남시	河南市
화성시	華城市

(5) 부산광역시 → 釜山廣域市

지역명	한문 표기
강서구	江西區
금정구	金井區
기장군	機張郡
남구	南區
동구	東區
동래구	東萊區
부산진구	釜山鎭區
북구	北區
사상구	沙上區
사하구	沙下區
서구	西區
수영구	水營區
연제구	蓮堤區
영도구	影島區
중구	中區
해운대구	海雲臺區

(6) 광주광역시 → 光州廣域市

지역명	한문 표기
광산구	光山區
남구	南區
동구	東區
북구	北區
서구	西區

(7) 대전광역시 → 大田廣域市

지역명	한문 표기
대덕구	大德區
동구	東區
서구	西區
유성구	儒城區
중구	中區

(8) 울산광역시 → 蔚山廣域市

지역명	한문 표기
남구	南區
동구	東區
북구	北區
울주군	蔚州郡
중구	中區

(9) 강원특별자치도 → 江原特別自治道

지역명	한문 표기
강릉시	江陵市
고성군	高城郡
동해시	東海市
삼척시	三陟市
속초시	束草市
양구군	楊口郡
양양군	襄陽郡
영월군	寧越郡
원주시	原州市
인제군	麟蹄郡
정선군	旌善郡
철원군	鐵原郡
춘천시	春川市
태백시	太白市
평창군	平昌郡
홍천군	洪川郡
화천군	華川郡
횡성군	橫城郡

(10) 경상남도 → 慶尙南道

지역명	한문 표기
거제시	巨濟市
거창군	居昌郡
고성군	固城郡
김해시	金海市
남해군	南海郡
밀양시	密陽市
사천시	泗川市
산청군	山淸郡
양산시	梁山市
의령군	宜寧郡
진주시	晉州市
창녕군	昌寧郡
창원시 마산합포구	昌原市 馬山合浦區
창원시 마산회원구	昌原市 馬山會原區
창원시 성산구	昌原市 城山區
창원시 의창구	昌原市 義昌區
창원시 진해구	昌原市 鎭海區
통영시	統營市
하동군	河東郡
함안군	咸安郡
함양군	咸陽郡
합천군	陜川郡

(11) 경상북도 → 慶尙北道

지역명	한문 표기
경산시	慶山市
경주시	慶州市
고령군	高靈郡
구미시	龜尾市
김천시	金泉市
문경시	聞慶市
봉화군	奉化郡
상주시	尙州市
성주군	星州郡
안동시	安東市
영덕군	盈德郡
영양군	英陽郡
영주시	榮州市
영천시	永川市
예천군	醴泉郡
울릉군	鬱陵郡
울진군	蔚珍郡
의성군	義城郡
청도군	淸道郡
청송군	靑松郡
칠곡군	漆谷郡
포항시 남구	浦項市 南區
포항시 북구	浦項市 北區

(12) 전라남도 → 全羅南道

지역명	한문 표기
강진군	康津郡
고흥군	高興郡
곡성군	谷城郡
광양시	光陽市
구례군	求禮郡
나주시	羅州市
담양군	潭陽郡
목포시	木浦市
무안군	務安郡
보성군	寶城郡
순천시	順天市
신안군	新安郡
여수시	麗水市
영광군	靈光郡
영암군	靈巖郡
완도군	莞島郡
장성군	長城郡
장흥군	長興郡
진도군	珍島郡
함평군	咸平郡
해남군	海南郡
화순군	和順郡

⒀ 전북특별자치도 → 全北特別自治道

지역명	한문 표기
고창군	高敞郡
군산시	群山市
김제시	金堤市
남원시	南原市
무주군	茂朱郡
부안군	扶安郡
순창군	淳昌郡
완주군	完州郡
익산시	益山市
임실군	任實郡
장수군	長水郡
전주시 덕진구	全州市 德津區
전주시 완산구	全州市 完山區
정읍시	井邑市
진안군	鎭安郡

⒁ 제주특별자치도 → 濟州特別自治道

지역명	한문 표기
서귀포시	西歸浦市
제주시	濟州市

⒂ 충청남도 → 忠淸南道

지역명	한문 표기
계룡시	鷄龍市
공주시	公州市
금산군	錦山郡
논산시	論山市
당진시	唐津市
보령시	保寧市
부여군	扶餘郡
서산시	瑞山市
서천군	舒川郡
아산시	牙山市
예산군	禮山郡
천안시 동남구	天安市 東南區
천안시 서북구	天安市 西北區
청양군	靑陽郡
태안군	泰安郡
홍성군	洪城郡

⒃ 충청북도 → 忠淸北道

지역명	한문 표기
괴산군	槐山郡
단양군	丹陽郡
보은군	報恩郡
영동군	永同郡
옥천군	沃川郡
음성군	陰城郡
제천시	堤川市
증평군	曾坪郡
진천군	鎭川郡
청주시 상당구	淸州市 上黨區
청주시 서원구	淸州市 西原區
청주시 청원구	淸州市 淸原區
청주시 흥덕구	淸州市 興德區
충주시	忠州市

⒄ 세종특별자치시 → 世宗特別自治市

PART 04

집배원 면접

01 면접의 이해

CHAPTER

면접 # 면접 대비 # 면접 주의사항 # 대표적인 질문유형

01 면접의 의의

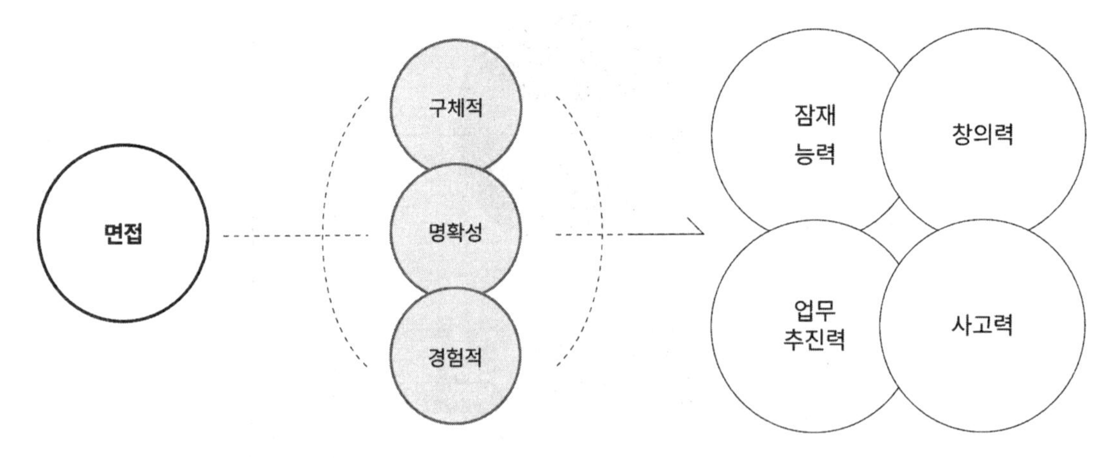

면접이란 잠재적인 능력이나 창의력 또는 업무 추진력, 사고력 등을 알아보기 위한 수단이다. 최종적으로 응시자의 인품, 언행, 지식의 정도를 알아보는 구술시험 또는 인물시험이 면접이라고 볼 수 있다. 면접에서 답변은 구체적이고 명확하며, 경험적이어야 한다.

02 면접 대비

(1) 복장 및 헤어스타일

지나치게 화려한 스타일은 삼가며, 깔끔하고 단정한 옷차림이 좋다. 웃음 띤 얼굴과 공손한 태도까지 더해진다면 좋은 첫인상을 남길 수 있을 것이다.

① 남성

㉠ 복장

- 정장 : 무채색 계열의 단색이 적당하며, 상의와 하의에 구김이 있는지 확인하도록 한다.
- 셔츠 : 흰색이 가장 무난하며, 자신의 피부색에 맞추어 선택하는 것이 좋다.
- 넥타이 : 자신의 체형을 고려한 색과 무늬를 선택하도록 한다. 이때 넥타이 길이는 서 있을 때 벨트를 살짝 덮는 정도가 좋다.
- 구두 및 양말 : 구두는 정장보다 짙은 색을 신으며 갈색과 검은색이 적당하다. 먼지가 묻어있지 않은지 굽이 너무 닳아있지 않은지 살피도록 한다. 양말은 되도록 검정색이나 정장과 같은 색이나 구두와 정장의 중간색이 적절하다. 흰색 양말과 목이 짧은 양말은 삼가도록 한다.
- 악세사리 : 시계만 착용하는 것이 가장 무난하며, 넥타이 핀은 하지 않는 것이 좋다.

㉡ 헤어스타일

- 단정한 모습을 위하여 젤이나 헤어스프레이 등을 이용하는 것이 좋다.
- 이마가 드러나는 편이 좋다. 이때, 눈썹과 수염도 신경 써서 다듬어야 한다.
- 염색은 되도록 하지 않는 편이 좋으며 염색모나 탈색모일 경우 어두운 색으로 덮도록 한다.

② 여성

㉢ 복장

- 정장 : 단정한 느낌을 주는 투피스 정장이나 원피스도 좋으며, 이때 화려한 무늬는 피하도록 한다. 색상은 베이지색이나 무채색이 무난하다. 광택이 나는 소재는 피하는 것이 좋다.
- 구두 및 스타킹 : 핸드백, 구두, 스타킹은 전체적으로 같은 계열로 준비하는 것이 좋으며 구두는 5㎝ 높이가 적당하며 이때 샌들이나 뒤가 트인 구두는 피하도록 한다. 스타킹은 화려한 색이나 무늬가 있는 것은 삼가고, 혹시 모를 상황에 대비하여 여분의 스타킹을 준비하는 것도 좋다.
- 악세사리 : 화려하지 않은 작은 귀걸이가 좋다.
- 화장 : 진한 화장보다 자연스럽고 밝은 이미지의 화장이 좋다.

㉣ 헤어스타일

- 자연스러우면서 단정한 머리를 위해서는 3 ~ 4주 전에 손질하는 것이 좋다.
- 짧은 머리는 귀 뒤로 넘기고 긴 머리는 묶는 것이 단정하고 깔끔한 인상을 준다.
- 앞머리가 있는 경우에는 흘러내리지 않도록 고정시키도록 한다.
- 강한 웨이브나 밝은 계열의 염색은 삼가도록 한다.
- 화려한 헤어 액세서리는 피하도록 한다.

(2) 목소리와 버릇

① 면접위원과 지원자의 대화로 이뤄지므로 목소리의 영향은 매우 크다.

② 목소리는 부드러우면서도 활기차고 생동감 있는 목소리가 호감을 준다.

③ 약간의 제스처는 효과적인 의견전달이 가능하다.

④ 불필요한 제스처는 오히려 의견 전달에 방해가 될 수 있다.

⑤ 콧소리나 날카로운 목소리는 답변의 신뢰성을 떨어뜨리거나 불쾌감을 초래할 수 있다.

(3) 면접 전 준비

① 답변에 대한 준비를 하였는가?

㉠ 기본적인 면접 질문으로 지원동기 · 자기소개 등은 필수로 물어보므로 준비가 꼭 필요하다.

㉡ 질문에 대한 답변은 서술형의 긴 답변보다는 핵심만 간략하게 말하는 것이 좋다.

② 잠을 충분히 잤는가?

㉠ 면접 당일 컨디션 조절을 위하여 충분한 숙면이 필요하다.

㉡ 잠자기 전 따뜻한 물 한 잔, 반신욕 등을 추천한다.

③ 최신정보를 정리했는가?

㉠ 집배원 관련 상식 및 정보는 반드시 숙지한다.

㉡ TV뉴스 · 시사토론 · 신문의 사설 등 최근 시사상식을 알아두자.

㉢ 일반적인 교양 및 업무별 전문지식은 반드시 알고 있어야 한다.

④ 장소를 확인했는가?

㉠ 지각은 절대 금물이며 일찍 도착하는 것이 좋다.

㉡ 거리 · 소요시간 · 교통편을 미리미리 준비하자.

03 면접 시 실수를 모면하는 방법

① 면접장소에 지각을 한 경우

사전에 신속하게 연락을 취하여 선처를 바라는 사과의 말을 하여야 한다.

② 면접위원의 질문에 이해를 하지 못한 경우

'죄송합니다만 잘 듣질 못했습니다. 다시 한 번 말씀해 주시기 바랍니다.'라는 표현을 사용하도록 한다.

③ 질문의 요지를 파악하지 못한 경우

'물어보신 질문을 이렇게 받아들여도 되겠습니까?'라는 식으로 좀 더 확실한 질문을 유도하여 어색한 분위기를 반전시킬 수 있다.

④ 앞 뒤 말이 어긋날 경우

답변이 길어지다 보면 앞 뒤 말에 모순이 생겨 논점이 바뀔 수 있다. 이럴 경우에는 '죄송합니다. 너무 긴장해서 답변이 어긋난 거 같습니다. 다시 말씀 드려도 괜찮겠습니까?'라는 식으로 허락을 얻어 위기를 모면하는 것도 좋은 방법이 될 수 있다.

04 면접 주의사항

(1) 면접 시 주의사항

① 첫인상

- 면접 시작 5초 안에 첫인상이 결정될 수 있다.
- 면접위원과 눈을 맞추고 적절한 반응을 보이며 자신감과 의지, 재능을 나타내보자.

② 입실에서 착석까지

- 순서가 호명되면 대답을 또렷하게 하고 입실한다.
- 문을 여닫을 때에는 소리가 나지 않게 조심하며 공손한 자세로 인사한다.
- 본인 성명과 수험번호를 말하고 면접위원 지시에 따라 착석한다.
- 의자 안쪽으로 깊숙이 착석한 후 무릎 위에 양손을 가지런히 올린다.

③ 난해한 질문에 대한 답변요령

- 단답형의 경우 답을 간단명료하게 하고 이유를 설명한다.
- 개방형의 경우 평소 충분히 생각하지 못한 내용이더라도 반드시 답변하는 것이 좋다.
- 답변이 바로 떠오르지 않을 경우 '잠시 생각을 정리할 시간을 주시겠습니까?'라고 요청해보자.

④ 답변하는 태도

긴장하면 자신감이 떨어져 목소리가 위축되고 얼버무리게 되며 혼란에 빠져 논리적 허점이 발생할 수 있다. 따라서 자신감을 가진 긍정적이고 확신에 찬 어조로 대답하자.

⑤ 자신에 대한 고찰

- 자신에 대한 파악이 어려울 경우 주변 사람들의 도움을 받아 자신의 성격을 평가하고 기억해해서 면접 준비에 참고한다.
- 장단점에 대해 물어보는 질문은 기본적이며 단점을 먼저 말하고 장점을 말하는 것이 좋다.

⑥ 정직함

거짓말은 응시자의 마음을 불안하게 만들며 면접에 집중하지 못할 수 있다.

⑦ 지원동기 및 가치관

- 면접에서 가장 먼저 물어보는 질문 중 하나이다.
- 누구나 할 수 있는 답변보다 자신이 생각하는 집배원의 이미지와 어떻게 일을 하고 싶은지 직업가치관을 더해서 밝히며 적극적이고 진취적인 사람의 모습을 보이자.

⑧ 답변 요령

- 면접위원 질문에 바로 대답하는 것이 좋지만 국어책 읽듯이 외운 답은 면접위원 기억에 남지 않는다.
- 적절한 톤의 음성으로 또박또박 또렷하게 말해야 한다.
- 실수가 있을 경우 머리를 만지거나 옷 끝을 만지는 등의 불필요한 행동은 절대 하지 말아야 한다.

(2) 면접 후 주의사항

① 마무리

- 모든 일은 마무리가 가장 중요하다.
- 면접위원이 마무리 인사를 하면 '감사합니다' 정중하게 인사 한 후 자리에서 일어나 다시 한 번 인사하는 것이 좋다.

② 퇴실

- 면접에 만족스럽지 못하여 문을 확 열거나 화를 내며 나가지 않는다.
- 퇴실 후 복도에서 대기 중인 다른 응시자들과 면접에 대한 이야기를 하거나 질문을 알려주어서는 안 된다.

05 면접 성공 KEY POINT

① 답변은 결론부터 이야기하고 부연설명은 그 다음 구체적으로 조리 있게 말하여야 한다.

② 올바른 경어를 사용한다. 유행어는 피하고, 특히 존경어와 겸양어는 혼동하기 쉬우므로 조심하여야 한다.

③ 질문의 요지를 이해하고 '예, 아니오'로 명확하게 하여야 한다. 명확한 답변은 진행을 부드럽게 한다.

④ 자신있는 부분에서 승부를 걸도록 한다. 반론을 잘해야 하며, 독불장군식의 대답은 금물이다.

⑤ 최후의 순간까지 최선을 다하여야 한다. 대답을 잘못했다고 할지라도 포기하지 말고 최선을 다하는 모습으로 임하면 상황을 역전시킬 수 있다.

⑥ 일관성 있는 답변을 하여야 한다. 답변의 내용이 서류 또는 이전 단계의 시험의 결과와 일치해야 한다.

⑦ 최대한 편안한 분위기를 연출하도록 하여야 한다. 상황에 맞는 유머는 대화를 활성화시킬 수 있다.

⑧ 면접위원이 본인이 이야기하는 것들을 머릿속에 그릴 수 있도록 상세하게 설명하도록 한다.

⑨ 잘못된 버릇은 고쳐야 한다. 상대를 불쾌하게 만드는 의사전달이나 너무 큰 목소리나 빠른 말투, 불안정한 시선, 자신도 모르는 버릇 등에 주의하며 자신을 점검하도록 한다.

⑩ 자기 자신을 겸허하게 판단하여야 하며 SWOT분석을 통하여 스스로를 분석한다.
  ㉠ 나만의 뛰어난 능력 → 강점(S), 부족한 점 → 약점(W)
  ㉡ 전공, 경력, 자격증 등 → 기회(O), 부족한 외국어, 컴퓨터활용, 학력 → 위협(T)

⑪ 지원분야를 100% 파악해야 한다. 지원분야와 업무에 대한 생각을 정리면 답변에 많은 도움이 된다.

⑫ 실전과 같은 연습으로 감각을 익혀야 한다. 빈출 면접질문과 최근 시사, 집배원 관련 질문과 인성 관련 질문 등을 연습하도록 한다.

⑬ 단답형의 답변보다는 사례 중심의 구체적인 이야기가 좋다.

⑭ 면접장에 들어오는 태도, 인사하는 법, 앉는 자세, 밝은 미소와 표정도 점수에 반영됨을 기억한다.

⑮ 상대의 말은 성실하게 경청해야 한다. 가장 성공적인 대화는 말하기 30%, 경청 70%이다.

⑯ 근로조건에 대한 이야기를 풀어나갈 준비를 해야 한다. 애매한 대답이나 근무환경이 고려되지 않은 답변은 최종관문에서 면접위원을 고민하게 만들 수 있다.

⑰ 자기소개를 할 때에는 짧은 단어나 문장으로 자신을 명확하게 표현할 수 있어야 한다.

⑱ 자신의 상품성을 높이기 위해 거짓말을 하면 계속 이어지는 질문에 거짓말을 더 하게 되어 일관성이 저해될 수 있다.

06 면접위원이 좋아하는 사람의 유형

① 긍정적이고 밝은 사람

② 적극적이고 능동적인 사람

③ 협동심이 있고, 최선을 다하는 사람

④ 지원동기에 대해 뚜렷한 주관이 있는 사람

⑤ 성실하고, 주변사람들을 배려할 줄 아는 사람

⑥ 회사에 입사하고자 하는 열망이 있고, 자신이 왜 회사에 적합한지 적극적으로 어필하는 사람

⑦ 용모와 복장이 단정한 사람

⑧ 발전가능성이 있고 패기 있어 보이는 사람

⑨ 자신의 생각을 조리 있게 말할 수 있는 사람

07 면접위원이 기피하는 사람의 유형

① 현실을 직시하지 못하고 수동적인 사람

② 시간약속을 지키지 못하는 사람

③ 자기중심적이고 단체에 부합되지 못하는 사람

④ 지원동기에 대해 뚜렷한 주관이 없는 사람

⑤ 창조성 · 투지 · 솔선수범하는 태도로 답변을 하지 않는 사람

⑥ 용모(특히 두발), 복장이 단정하지 못한 사람

⑦ 외견상으로 건강해 보이지 않는 사람

⑧ 발전가능성이 없고 패기가 없는 사람

⑨ 발을 포개거나 팔짱을 끼는 등의 태도를 보이는 사람

⑩ 유행어, 외래어, 전문용어를 남발하는 사람

⑪ 자신의 생각이 아닌 모범답안을 외워서 말하는 사람

08 면접시험 응시자 유의사항

① 입실시간을 엄수한다.

② 응시표와 신분증(주민등록증, 운전면허증, 여권 중 1), 사전문진표를 반드시 지참하여야 한다.

③ 면접시험 시작 이후에는 면접장 입장이 불가하다.

④ 면접시험 진행 중에는 외부인과 접촉을 금지하며 종류 후 대기 중인 응시자와의 접촉도 금지한다.

⑤ 면접 대기실 입실 후부터 퇴실까지 휴대전화와 전자통신기기 사용을 금지한다.

⑥ 외부출입 및 흡연을 금한다.

02 면접 예상 질문과 답변

CHAPTER

집배원 면접 # 예상질문 # 예상답변

01 집배원 업무 관련 질문

집배원 업무에 대한 이해도를 확인하기 위한 질문은 매년 물어보는 질문 중에 하나입니다. 집배원 지원동기, 집배원이 하는 일이 무엇인지, 집배원 업무를 해야할 때 가져야 하는 덕목 · 가치관 등을 묻습니다. 본인이 이 직업을 선택한 이유와 이 직업에 대해 어느정도 알고 있는지를 물어보는 질문을 주로 합니다.

Q 집배원에 지원하게 된 동기는 무엇입니까?

우연한 기회에 우체국에서 우편 분류 아르바이트를 한 적이 있었습니다. 평소 생활 속에서 우체국에서 일하는 사람들을 접할 기회가 많지 않아 우체국에서 집배원이 무슨 역할을 하고 있는지 잘 알지도 못했습니다. 저는 아르바이트를 하는 기간 동안 집배원들이 열심히 그리고 전문적으로 업무를 처리하는 것을 보면서 집배원의 중요성과 존재감을 확인할 수 있었습니다. 이때의 경험이 바탕이 되어 저 또한 우리 지역사회에 필요한 존재가 되어 국민을 위해 봉사하고자 지원하게 되었습니다.

면접TIP 이 질문은 직업으로 집배원을 선택한 이유를 묻고 있는 것입니다. 이 질문에서 지원동기를 설명할 때에는 자신이 직접 경험한 사례와 함께 적극적으로 설명하는 것이 좋습니다.

Q 집배원이 되고나서 어떠한 자기계발을 할 것입니까?

영어회화 공부를 더욱 깊이 있게 해보고 싶습니다. 영어회화를 할 수 있으면 외국인이 저에게 업무와 관련한 문의를 해도 편안하게 답변을 줄 수 있고 고객의 불편 해소측면에서 유용할 것이라고 생각이 됩니다. 또한 최근에 국내 거주하는 외국인도 늘고 있는 추세이기에 영어를 공부하는 것은 많은 고객들에게 도움이 될 것이라고 생각이 됩니다.

면접TIP 자기계발은 취업을 하고 난 이후에 발전가능성에 대한 것을 보여주는 것이다. 이 질문으로 지원자의 열정이 어느 정도로 있는지를 확인해보기 위함이다. 취업을 한 이후에 발전가능성과 열정을 보여줄 수 있는 답변을 하는 것이 중요합니다.

Q 집배원이 된다면 어떠한 덕목을 가장 중요하게 여길 것입니까?

저는 '공익추구'를 가장 중요하게 여길 것입니다. 공익을 추구하는 것은 결국 서비스에 대한 신뢰를 보여주는 것이라 생각합니다. 저의 생활신조는 '신뢰 받는 사람이 되자'입니다. 학창시절, 아주 사소한 일로 약속을 지키지 않아서 소중한 친구를 잃은 적이 있습니다. 그때는 친구와의 약속을 너무 편하게 생각했던 것 같습니다. '시간은 금이다'라는 격언이 있습니다. 저의 시간이 금이라고 생각하는 만큼 타인에게도 그 시간은 소중한 금과 같은 시간일 것입니다. 따라서 항상 약속을 잘 지키는 사람, 신뢰할 수 있는 사람이 되는 것이 저의 생활신조로 여겨온 만큼 공익을 추구하면서 민원인과 이용고객에게 신뢰를 받으면서 일을 하고 싶습니다.

면접TIP 이 질문은 공무원의 덕목에 대해서 어느정도 알고 있는지를 물음과 동시에 자신의 가치관을 물어보는 질문이다. 공무원의 덕목과 자신의 생활신조를 함께 이야기하면서 차후에 자신이 어떠한 자세로 일할 것인가에 대한 포부를 보여주는 것이 좋다.

Q 집배원 복무수칙에 대해서 알고 있는 대로 말해보십시오.

직무에 성실하고 지시사항을 준수하여야 하며, 책임자의 허가 없이 근무지를 이탈하여서는 안 됩니다. 질병, 기타 사고로 인하여 출근하지 못할 때에는 가장 빠른 방법으로 신고하여 당일 복무배치에 지장이 없도록 하며, 항상 복장과 용모를 단정히 하고 집배업무 수행 전에 집무상 필요한 장비 등을 점검하여야 합니다. 출국 및 귀국 시, 근무 중 사고 시에는 즉시 책임자에게 신고하여야 하며, 우편물은 그 표면에 기재된 주소에 반드시 배달하며 위탁배달을 하면 안 됩니다. 우편물에 대한 비밀을 타인에게 누설하거나 보여주어서는 안 됩니다.

면접TIP 가장 기본적인 질문으로 업무에 임하는 태도와 업무이해도를 확인하기 위한 질문입니다. 변형된 질문으로 덕목, 집배원으로 가져야 하는 가치관 등 업무에 대한 본인의 생각을 묻기 위한 질문으로 매년 물어보는 질문 중에 하나입니다. 공무원 복무수칙을 기반으로 해서 답변을 하는 것이 좋습니다.

Q 집배원은 야근을 하는 경우가 종종 있으며, 주말에 쉬지 못할 수도 있습니다. 이럴 땐 어떻게 하겠습니까?

야근이나 시간외 근무는 공무원들만 하는 것이 아니며 사기업에서도 자주 행해지는 것으로 알고 있습니다. 갑작스러운 재해나 사건으로 인한 근무는 당연한 것으로 생각하나, 갑자기 늘어난 업무로 인해서 야근을 하게 되는 것이라면 평소보다 일찍 출근을 하거나 점심시간 등을 잘 활용하여 업무진행에 차질이 없도록 하겠습니다.

면접TIP 야근이나 시간외 근무가 비단 공직사회에서만 행해지는 것만이 아니므로 그에 대해서 언급하고 자신의 생각을 덧붙이는 것이 중요합니다. 야근의 종류에 따라 업무시간을 효율적으로 사용하여 야근 시간을 줄이겠다는 의견도 좋은 예가 될 수 있습니다.

Q 별정우체국집배원이란 무엇인지 아는 대로 말해보십시오.

별정우체국집배원이란 과거 면 단위에 한 개씩 우체국을 만들려는 국가 정책에 의해 민간인에게 개인우체국을 개설하고 업무를 볼 수 있도록 만든 우체국에서 편지배달 및 등기, 택배 등의 배달을 하는 집배원을 말합니다. 업무와 혜택은 일반 우체국과 동일합니다. 그러나 공무원이 아닌 별정우체국 신분이라고 있습니다.

면접TIP 본인이 지원하는 분야가 무슨 일을 하는지, 알고 왔는지를 확인하는 질문입니다. 이는 단순히 직업을 구하기 위해 지원을 했는지 아니면 충분한 지식을 가지고 완벽한 준비를 통해 지원을 한 것인지를 확인할 수 있습니다.

Q 집배의 5대 사항에 대해서 말해보십시오.

첫째, 우편수취함에 오배달률을 0%로 한다.
둘째, 우편반송함을 매일 매일 수거하여 처리율을 100%로 한다.
셋째, 직원 유고시 책임배달제를 실시하여 배달률을 100%로 한다.
넷째, 주소이전신고 처리는 신속하게 100%로 한다.
다섯째, 자동이륜차 안전사고율을 0%로 한다.
이상으로 알고 있습니다.

면접TIP 이 질문은 응시자가 집배원이 되기 위해 노력을 했다고 한 점을 다시 한 번 확인하기 위한 질문으로 집배원이 알아야 할 지식의 정도를 평가하는 질문이라고 볼 수 있습니다. 다른 질문에 대한 답변과 달리 자신의 생각이 아닌 정확한 사실을 이야기하여야 합니다.

Q 택배의 5대 사항이 무엇인지 말해보십시오.

첫째, 방문접수 시 약속시간을 반드시 지켜야 합니다.
둘째, 반품 요청 시 24시간 이내에 수거해오도록 합니다.
셋째, 배달 출발 전에는 수취인에게 연락을 하여야 합니다.
넷째, 배달 시에는 임의위탁을 하지 않습니다.
다섯째, 반송 시에는 적정여부를 확인하도록 합니다.
이상으로 알고 있습니다.

면접TIP 택배와 관련된 것도 질문하면서 업무에 대한 이해도를 확인하고자 하는 질문입니다.

Q 전에 하시던 일과 비교하면 집배원 봉급은 적을 텐데 어떻게 생활을 할 예정입니까?

집배원의 월급이 작다는 것은 이미 감수한 일입니다. 아직은 수입이 지출보다 많으므로 미래를 대비해서 저축을 할 예정입니다. 금액을 정하지 않고 저축을 하다보면 해이해질 수 있으므로 우선 작게나마 적금을 생각하고 있으며 남은 돈으로 계획을 세워 생활해 나아갈 것입니다.

면접TIP 월급이라는 것은 근로조건 전반을 대표한다고 해도 과언이 아닙니다. '박봉임에도 열심히 일하겠습니다.'라는 추상적인 답변보다는 그것을 활용하여 충분하게 자신의 생활을 영위해 갈 수 있음을 보여주는 것이 더 중요합니다. 이는 경제관념을 측정하는 하나의 기준이 될 수 있습니다.

02 인성 관련 질문

지원자에 대한 것을 알아보기 위한 질문을 주로 합니다. 스트레스 해소법, 업무와 관련된 업무를 한 경험, 기타 다양한 활동을 경험 등을 확인하기 위한 질문을 합니다. 이 질문에서는 본인이 지내온 삶의 과정에서 업무와 연관해서 말할 수 있는 것이 중요합니다. 또한 기본적으로 물어보는 장단점 등에 대한 질문을 답변하기 위해서 본인에 대해서 잘 알아두고 있는 것이 도움이 됩니다.

Q 당신은 거짓말을 한 적이 있습니까? 어떤 경우에 거짓말을 했습니까?

예. 저는 부모님을 안심시켜 드리기 위해서 거짓말을 한 적이 있습니다. 저에게 생긴 일을 부모님께 감추기 위해서가 아니라 제가 스스로 해결할 수 있거나 그다지 큰 일이 아닌 경우에는 걱정을 끼쳐드리고 싶지 않아서 거짓말을 했었습니다.

면접TIP 개인의 도덕성을 평가하는 동시에 그 사람이 무엇을 중요하게 여기는지를 알 수 있는 질문입니다. 거짓말 중에 선의의 거짓말 등은 사례를 들어 이야기하는 것이 좋습니다. 하지만 아무리 좋은 거짓말이라도 상습적이라는 인상을 남기지 않도록 주의하여야 합니다.

Q 본인 성격의 장점과 단점은 무엇입니까?

제 장점은 리더십과 계획성이라고 생각합니다. 대학시절 동아리 회장으로 활동할 때 철저히 계획을 세우고 사전조사를 한 덕분에 100명이 넘는 회원의 역사기행을 성공적으로 마칠 수 있었습니다. 하지만 철저하고 꼼꼼하게 계획을 세우는 습관으로 일의 진행이 느리다는 단점이 있어 최근에는 일을 처리할 때 크게 보고 넓게 생각하도록 노력하고 있습니다.

면접TIP 자신을 알려야 하는 질문이므로 지나치게 겸손한 태도를 보인다면 좋은 평가를 받을 수 없습니다. 적극적인 모습으로 자신을 알리는 것이 중요합니다. 진부한 소재로는 면접위원의 관심을 유도할 수 없으므로 자신의 특징을 증명할 수 있는 사례를 간결하게 들어 이야기를 하는 것이 좋습니다. 또한 자신의 성격이 집배원에 어울리는 인재임을 어필할 수 있어야 합니다.

Q 어떤 운동을 좋아합니까?

저는 특히 농구나 축구 같은 단체 운동을 좋아합니다. 이러한 운동을 하면 몸이 건강해질 뿐만 아니라 같이 운동하는 사람들끼리 운동이라는 공통 화제를 통해 친해질 수도 있습니다. 만약 제가 집배원에 합격한다면 스트레스 해소 및 친목 도모를 위해 주말이나 새벽 시간을 이용하여 운동을 함께 하는 모임을 만들어 보고 싶습니다.

면접TIP 일반적으로 스포츠는 협동심과 적극성을 필요로 합니다. 이 질문은 신체의 건강함과 집단생활을 하는데 필요한 요소들을 확인하고자 하는 것입니다. 운동을 즐기지 않는다면 보는 것을 즐긴다는 표현을 사용하는 것이 좋습니다.

Q 본인의 가족관계에 대해 말해 보겠습니까?

부모님 두 분과 저 그리고 4살 어린 여동생이 있습니다. 어릴 적에는 여동생과 나이 차이가 많고 관심사도 다르며, 서로 좋은 것을 갖겠다고 많이 다투고 싸웠으나 지금은 서로를 가장 아끼고 이해하는 사이입니다.

면접TIP 가족은 가장 기본적인 사회입니다. 가족구성원의 모습을 통해 그 사람이 사회생활에 적응해 가는 모습을 유추해보고자 하는 의도에서 나오는 질문입니다. 가족 중에서 자신의 위치는 어디이며 자신의 역할은 무엇인지를 함께 설명해 주는 것이 좋습니다. 그리고 형제나 자매가 하는 일에 대해서는 곤란한 경우가 아니라면 자신 있게 대답하는 것이 좋습니다.

Q 본인은 사회봉사에 대해서 어떻게 생각합니까?

사회봉사라고 하면 상당히 거창하거나 돈이 많이 드는 일이라고 생각하시는 분들도 많이 있는 것 같습니다. 하지만 제가 생각하는 사회봉사는 남을 위해서 할 수 있는 일을 하는 것이라고 생각합니다. 그래서 저는 자주 헌혈을 합니다. 제가 한 헌혈이 사경을 헤매고 있을 누군가를 살릴 수 있다고 생각하면 뿌듯합니다.

면접TIP 사회봉사는 타인을 위해 자신이 할 수 있는 일을 하는 것으로 꼭 크고 대단한 일을 해야 하는 것은 아닙니다. 먼저 자신이 생각하는 사회봉사에 대해서 말하고 자신이 실천한 사회봉사, 그리고 그 일을 하면서 느낀 점 등을 이야기하는 것이 좋습니다.

Q 창의력을 발휘했던 경험에 대해서 말해보세요.

아르바이트를 했었을 때 출입문이 떨어졌던 적이 있습니다. 수리해주시는 기사분도 당장 올 수 없다 하셨는데 영업은 곧 해야 하는 상황이었습니다. 모두가 떨어진 출입문에 집중하면서 다른 일을 신경 쓰지 못하고 있었습니다. 떨어진 출입문은 치워두고 벽면에 창문을 모두 열고 문을 모두 개방하여 근무해보자고 제안하였습니다. 코로나 이전 시기에는 주변 음식점 대부분이 창문은 청소할 때에만 열어두었습니다. 그때가 마침 가을이라서 날씨도 좋았던 때이기도 했었기에 모든 문을 열고 영업을 하였을 때 손님 분들의 반응도 좋았던 것으로 기억합니다. 그 당시 있었던 난관에 고민하지 않고 새로운 방식으로 제안하여 모두가 떨어진 출입문에 집중하지 않았고 손님들도 그러한 상황을 눈치를 채지 않을 수 있었습니다.

면접TIP 창의력에 대해 묻는 질문은 자주 물어보는 빈출 질문 중에 하나이다. 창의적인 생각을 적용하여 업무에 임할 수 있는가를 평가하기 위한 질문이다. 적절한 사례와 본인이 직접 겪었던 경험을 섞어서 답변을 하는 것이 좋다.

Q 여기에는 언제 도착하셨습니까?

저는 집에서 1시간 30분 정도 소요되어 시험 시작 40분 전에 도착하였습니다. 제가 잘 아는 곳이 아니라서 어제 사전방문을 하여 위치와 시간을 계산한 것이 많이 도움이 되어 늦지 않게 도착한 것 같습니다.

면접TIP 면접장소까지 어떤 방식으로 왔는지, 얼마나 걸려서 왔는지에 대해 물어보는 것입니다. 이는 수험생의 생활태도 및 계획성을 알아보기 위한 것이므로 자연스럽게 대답을 하면 됩니다.

Q 스트레스 해소법이 있습니까? 있다면 무엇이 있는지 말해보세요.

저는 스트레스를 받을 때에는 동네 근처에서 러닝을 합니다. 숨이 적절하게 찰 때까지 운동을 하면 받았던 스트레스도 풀리고 운동을 했다는 성취감도 느낄 수 있어서 자주 사용하는 방법입니다.

면접TIP 업무를 할 때에는 스트레스를 피할 수 없습니다. 이것에 대한 적절한 해소방법을 알고 있는지를 알아보기 위한 질문입니다.

Q 오늘 아침에 식사는 하셨습니까?

아침을 먹는 것이 하루의 생활에 많은 영향을 끼친다는 것을 알고 있기 때문에 꼭 챙겨먹습니다. 이렇게 늘 아침을 먹는 습관이 있지만 면접시험을 본다는 생각에 긴장하여 간단하게 먹고 왔습니다.

면접TIP 응시자 개인의 식습관이 궁금해서 하는 질문이 아닙니다. 평소 얼마나 규칙적인 생활을 하는가를 확인하고자 하는 것입니다. 면접 당일은 긴장하여 평소의 생활이 흐트러질 수도 있습니다. 이는 스트레스에 얼마나 강한지 확인할 수 있습니다. 평소와 같이 일어나서 아침을 먹고 면접에 임하는 것이 좋습니다. 또한 면접 도중 꼬르륵 소리가 난다면 그 소리가 작아 면접위원에게는 들리지 않더라도 충분히 당황스러운 상황이 될 수 있습니다.

Q 당신이 사는 지역에 혐오시설이 들어오게 된다면 어떻게 하겠습니까?

이성적으로 꼭 필요한 시설이라는 것을 알지만 제가 살고 있는 지역에 들어온다고 하면 우선은 모든 사람들이 반대를 하게 될 것입니다. 저는 제가 사는 지역에 들어오는 시설의 필요성과 부지의 적합성, 반대급부 등을 따진 후 적합하다고 생각이 되면 찬성을 하고 다른 주민들을 설득할 것이나 부적절하다고 생각이 되면 이유를 제시하여 적극적으로 반대할 것입니다.

면접TIP 공익과 사익이 대치하게 될 경우 대처법을 알아보기 위한 질문입니다. 한쪽으로 치우치는 의견보다는 현실적으로 사안을 대처하는 태도를 보여주는 것이 좋습니다.

03 상황형 질문

매년 물어보는 질문유형으로 반드시 답변을 생각해두어야 합니다. 제일 자주 물어보는 질문은 항의하는 민원인 응대, 동료와의 갈등 해결 등이 있습니다. 업무를 하면서 피할 수 없을 상황을 미리 물어보면서 지원자가 어떠한 방법으로 응대해 나가는지를 확인하고자 함입니다.

Q 본인에게 강력하게 항의를 하는 민원인에게 어떻게 응대할 것입니까?

민원인이 요청하는 항의사항에 대해서 상세하게 경청하겠습니다. 민원인의 요구하는 조건을 경청한 뒤에 제가 할 수 있는 일이라면 최선을 다해서 도와주도록 하겠습니다. 하지만 제가 할 수 없는 일이라면 민원인에게 도움을 줄 수 있는 방법을 찾아서 알려주도록 하겠습니다.

면접TIP 민원인 응대는 상황형 면접질문에서 매년 물어보는 질문이다. 이 질문에 대한 답은 항상 생각해두는 것이 중요하다. 이외에도 변형되어 민원인과 갈등해결 등 다방면으로 출제가 된다. 항의하는 민원인에게 공무원의 덕목에 맞춰서 답변을 하는 방향을 잡는 것이 좋다.

Q 동료와 문제가 발생한 경우 어떻게 해결하겠습니까?

갈등이 발생한 동료와 먼저 대화를 시도해보겠습니다. 동료에게 갈등이 발생한 것에 대해 먼저 사과를 하겠습니다. 사과를 먼저 하고나서 동료가 불편했던 점에 대해서 경청하겠습니다. 동료의 이야기를 경청하고 수용한 다음에 동료에게 제가 섭섭했던 점도 이야기하면서 서로의 갈등을 해결하겠습니다. 이러한 방법에도 갈등이 해결될 기미가 보이지 않는다면 그때에는 상사에게 갈등상황을 알리고 도움을 요청하겠습니다.

면접TIP 동료와의 갈등, 민원인과의 갈등 등에 관련한 상황형 문제는 매년 물어보는 질문에 해당한다. 이 질문에 대한 명확한 가치관을 가지고 있는 것이 중요하다.

Q 갈등해결 경험이 있는가? 있다면 어떻게 했는지 말해보세요.

봉사동아리 활동을 할 때 동아리 부원들과 의견차이로 갈등이 발생했었습니다. 봉사활동 시간으로 발생한 문제였는데 갈라진 의견 모두 합리적인 의견이었기에 부원들 사이에서 갈등에 골이 깊어졌었습니다. 그때 저는 동료들의 의견을 모두 수렴하면서 적절한 중간을 찾기 위해서 많은 토론을 했었던 기억이 납니다. 그 당시에는 갈등 해결을 위해서 모두 모여서 토론을 하면서 양쪽 다 100% 만족은 못하지만 서로 이해할 수 있는 접점을 찾아가면서 갈등을 해결했었습니다.

면접TIP 갈등해결 경험은 매번 물어보는 것으로 자신이 살아가면서 겪어보았던 갈등을 고심해보고 그에 따라 본인이 겪었던 갈등을 어떻게 해결했는지를 고민해보는 것이 중요하다.

Q 상사의 의견이 부당하다고 생각되거나 자신의 주장과 다르다면 어떻게 하겠습니까?

상사가 지시한 명령이 무조건 부당하다고 느껴질 수 있으나 제가 신입이라 일에 대해 정확하게 파악하지 못하여 생기는 오해일 수도 있습니다. 그렇기 때문에 우선 그 명령을 따르고 저의 의견을 다시 한 번 검토해 보겠습니다. 그런 후에도 부당하다는 생각이 든다면, 저의 생각을 정리하여 상사에게 이야기해보겠습니다.

면접TIP 무조건 상사의 의견을 따르겠다고 하는 말은 현대 사회에서 요구하는 답변이 아니므로 적절하지 못합니다. 이렇게 답변을 하게 되면 깊게 생각하지 않는 태도로 보여 응시자에 대한 신뢰가 떨어지게 됩니다. 상사의 의도를 파악하고 자신의 역할과 임무를 확인하고 자신의 의견을 다시 한 번 검토해본다는 정도가 적절한 답변이 될 수 있습니다.

04 도로명주소 및 주소 관련 질문

업무와 관련된 전문지식을 묻는 것이다. 도로명주소에 대한 지식을 알아두고 있는 것이 중요하다.

Q 주소작성을 하는 것이 도로명주소로 변경된 이유가 무엇입니까?

도로명주소는 도로명, 기초번호, 건물번호, 상세주소에 의해서 건물주소를 표기하는 것입니다. 체계적으로 도로명주소를 사용하여 길찾기가 수월하고 화재나 범죄 등의 긴급상황에 빠른 대응이 가능합니다. 또한 국가경쟁력이 상승합니다. 세계적으로 보편화된 도로명주소를 사용하여 국가경쟁력이 향상되고 물류비가 절감됩니다.

면접TIP 도로명주소에 대한 명확한 지식을 알고 있는가를 물어보는 것이다. 변경된 이유에 대해서는 명확하게 알고 있는 것이 중요하다.

Q 사물주소를 사용하는 이유는 무엇인가?

사물주소는 주소부여가 어려운 곳에 도로명과 기초번호를 이용하여 사물에 주소를 부여한 것입니다. 안전사고 발생에 신속대응을 하고 내비게이션에 안내체계를 명확하게 마련하기 위한 것입니다.

면접TIP 시행되고 있는 사물주소에 대한 지식이 있는 가를 확인하는 것이다.

Q 자신의 집 주소를 한자로 여기에 써 보십시오.

서울특별시 강남구 신사동 585－1번지에 살고 있습니다. → 서울特別市 江南區 新沙洞 585－1에 살고 있습니다.
[도로명주소] 서울特別市 江南區 論峴路 831 (新沙洞)

면접TIP 다른 언어보다도 우편 관련 업무를 하는 사람들은 한자를 접하는 일이 많습니다. 그리고 우리나라 어휘의 특성상 한자어가 많으므로 자신의 이름, 주소 등은 기본적으로 쓸 수 있어야 합니다. 한자는 획수 하나로 글자가 완전히 달라지기도 하므로 주의가 필요합니다.

05 도로교통법 관련 질문

오토바이 운전은 집배원과 밀접하게 연관이 되어있기 때문에 도로교통법과 관련한 질문은 반드시 출제됩니다. 중과실, 음주운전 처벌기준 등에 대해서는 알아두고 가는 것이 좋습니다.

Q 음주운전에 적발되는 알코올 수치, 처벌, 벌금에 대해 모두 설명해보시오.

① 기준 : 도로교통법에 따라서 혈중알코올농도가 0.03퍼센트 이상인 경우 운전이 금지되는 술에 취한 상태이다.

② 술에 취한 상태의 기준 : 0.03% 이상

③ 벌칙

1. 혈중알코올농도가 0.2퍼센트 이상인 사람은 2년 이상 5년 이하의 징역이나 1천만원 이상 2천만원 이하의 벌금
2. 혈중알코올농도가 0.08퍼센트 이상 0.2퍼센트 미만인 사람은 1년 이상 2년 이하의 징역이나 500만원 이상 1천만원 이하의 벌금
3. 혈중알코올농도가 0.03퍼센트 이상 0.08퍼센트 미만인 사람은 1년 이하의 징역이나 500만원 이하의 벌금
4. 경찰공무원의 측정에 응하지 아니하는 사람은 1년 이상 5년 이하의 징역이나 500만원 이상 2천만원 이하의 벌금에 처한다.

면접TIP 교통법규와 운전에 대한 상식을 많이 아는 것이 중요하기 때문에 음주운전에 대한 질문을 상세하게 물어보는 편이다. 도로교통법에 따라 기준, 벌칙 등을 외워두는 것이 좋다.

Q 교통사고 12대 중과실에 대해서 설명해보세요.

교통사고처리특례법에 규정되어 있는 것입니다. 신호위반, 중앙선 침범, 제한속도보다 20km를 초과하여 과속, 앞지르기 방법이나 끼어들기 금지를 위반, 철길건널목 통과 방법 위반, 횡단보도 보행자 보호의무 위반, 무면허 운전, 음주운전, 보도침범, 승객추락 방지의무 위반, 어린이보호구역 안전운전의무 위반, 자동차 화물이 떨어지지 않도록 필요한 조치를 없이 운전한 것이 있습니다.

면접TIP 교통사고 중과실은 운전에 가장 기본이 되는 것이므로 외워두고 있는 것이 좋다.

Q 난폭운전에 해당하는 것에 대해서 말해보세요.

신호 또는 지시 위반, 중앙선 침범, 속도의 위반, 횡단 · 유턴 · 후진 금지 위반, 안전거리 미확보, 진로변경 금지 위반, 급제동 금지 위반 ,앞지르기 방법 또는 앞지르기의 방해금지 위반, 정당한 사유 없는 소음 발생, 고속도로에서의 앞지르기 방법 위반, 고속도로 등에서의 횡단 · 유턴 · 후진 금지 위반이 있다.

면접TIP 도로교통법에 대한 질문은 꾸준히 나오는 편이다. 다양한 방면의 운전법규에 대해서 알아두는 것이 중요하다.

Q 보행자 보호를 위해 해야 하는 것에 대해서 설명해보세요.

보행자가 횡단보도를 통행하거나 통행하려고 할 때에는 횡단보도 앞에서 정차하고, 어린이 보호구역에서는 횡단보도 앞에서 보행자의 횡단여부와 관계없이 정지를 한다.

면접TIP 도로교통법규에 대한 기본 지식을 알아두고 있는 것이 중요하다. 자주 출제되는 유형은 아니지만 갑자기 출제가 된 경우 당황하지 않고 답변을 할 수 있다.

Q 전날 과음을 하여 숙취에 시달리고 있는 동료가 이륜차를 운전하려고 한다면 어떻게 하겠습니까?

숙취가 심하여 과로 상태일 때에는 운전을 하면 안된다는 도로교통법규 또한 있습니다. 그러하기 때문에 저는 동료에게 운전을 하면 안 된다고 강력하게 이야기 하겠습니다.

면접TIP 술에 취한 상태 이외에도 과로, 질병, 약물 등의 상태에서 정상적으로 운전을 하기 어려운 경우에는 운전을 하면 안된다는 도로교통법 제45조가 있다.

Q 도로교통법에 따라 운전자의 준수사항에 대해서 설명해보세요.

모든 운전자의 준수사항(도로교통법 제49조) 제1항에 따른 운전자의 준수사항안 다음과 같습니다.

① 물이 고인 곳을 운행할 때에는 고인 물을 튀게 하여 다른 사람에게 피해를 주는 일이 없도록 할 것

② 일시정지를 해야 하는 경우 : 어린이가 보호자 없이 도로를 횡단할 때, 어린이가 도로에서 앉아 있거나 서 있을 때 또는 어린이가 도로에서 놀이를 할 때 등 어린이에 대한 교통사고의 위험이 있는 것을 발견한 경우, 앞을 보지 못하는 사람이 흰색 지팡이를 가지거나 장애인보조견을 동반하는 등의 조치를 하고 도로를 횡단하고 있는 경우, 지하도나 육교 등 도로 횡단 시설을 이용할 수 없는 지체장애인이나 노인 등이 도로를 횡단하고 있는 경우

③ 도로에서 자동차 또는 노면전차를 세워둔 채 시비 · 다툼 등의 행위를 하여 다른 차마의 통행을 방해하지 아니할 것

④ 운전자가 차 또는 노면전차를 떠나는 경우에는 교통사고를 방지하고 다른 사람이 함부로 운전하지 못하도록 필요한 조치를 할 것

⑤ 운전자는 안전을 확인하지 아니하고 차의 문을 열거나 내려서는 아니 되며, 동승자가 교통의 위험을 일으키지 아니하도록 필요한 조치를 할 것

⑥ 운전자는 정당한 사유 없이 다른 사람에게 피해를 주는 소음을 발생시키지 아니할 것

⑦ 운전자는 승객이 차 안에서 안전운전에 현저히 장해가 될 정도로 춤을 추는 등 소란행위를 하도록 내버려두고 차를 운행하지 아니할 것

⑧ 운전 중에는 휴대용 전화(자동차용 전화를 포함한다)를 사용하지 아니할 것.

⑨ 운전 중에는 방송 등 영상물을 수신하거나 재생하는 장치를 통하여 운전자가 운전 중 볼 수 있는 위치에 영상이 표시되지 아니하도록 할 것.

⑩ 자동차 또는 노면전차의 운전 중에는 영상표시장치를 조작하지 아니할 것.

면접TIP 운전을 상시해야 하는 직무에 해당하기 때문에 위 내용을 포함하여 운전을 할 때의 여러 준수사항에 대해서 명확하게 알아두고 있는 것이 중요하다. 위와 같은 질문은 변형되어 이륜차 안전수칙, 운전자 안전수칙 등으로 물어보기도 한다.

03 면접 질문유형

대표 질문유형 # 한문 관련 질문유형 # 영어 관련 질문유형

CHAPTER

01 집배원 면접의 대표 질문 유형

① 자기소개를 1분간 해보십시오.

② 집배원에 지원을 하는 동기는 무엇입니까?

③ 집배원의 덕목이 무엇인가?

④ 당신이 집배원이 된다면 공무원의 덕목 중에 무엇을 가장 중요하게 여기겠습니까?

⑤ 교통사고 중과실에 대해 말해보세요.

⑥ 집배의 5대 사항에 대하여 말해보세요.

⑦ 집배원 복무수칙에 대해서 알고 계십니까?

⑧ 최근 등기를 보낸 본 적이 있습니까? 그렇다면 현재 등기요금이 얼마입니까?

⑨ 리더십을 발휘한 경험에 대해서 말해보세요.

⑩ 항의를 하는 민원인과 어떻게 소통할 것인가 말해보세요.

⑪ 사물주소에 대해서 설명해보세요.

⑫ 우편의 종류와 가격에 대해서 말해보세요.

⑬ 등기우편의 종류에 대해서 말해보세요.

⑭ 소포를 분실한 경우 손실보상액에 대해서 설명해보세요.

⑮ 이륜차 운전시 헬맷 미착용, 인도주행 경험이 있습니까?

02 계리직 면접의 대표 질문유형

① **사전조사서**

㉠ 드론 배송을 이용 시 고려 사항을 말해보시오.

ⓛ 고객에게 체크카드를 발급하는데 직원의 실수로 서류 하나를 알려드리지 않아 재방문한 경우, 대처 방법을 말해보시오.

② 개별 면접

㉠ 우체국의 단점과 개선점을 말해보시오.
ⓛ 우체국 보험과 타회사의 보험에 대해서 비교해보시오.
ⓒ 우체국 보험의 종류를 말해보시오.
ⓔ 민간보험과 우체국 보험의 차이를 말해보시오.
ⓜ 공무원으로서 가져야할 역량과 자질 경험과 연관지어 말해보시오.
ⓑ 고객이 보험을 접수하기위해 방문한 경우 어떻게 응대를 할 것인가?
ⓢ 보험계약을 취소하려고 하는 고객이 상품을 계속 이용하도록 어떻게 설득할 것인가?
ⓞ 갈등을 해결했던 경험에 대해서 설명해보시오.
ⓙ 우체국을 정부에서 이용하는 이유가 무엇인가?
ⓒ 우체국에서 판매하고 있는 상품에 대해서 설명해보시오.

03 한문 관련 질문유형

Q (서울지방과 경기지방 주소의 한자 표기 제시) 이 주소를 읽어보십시오.

서울特別市 麻浦區 西橋洞 346－15番地 b02號
→ 서울특별시 마포구 서교동 346－15번지 b02호

Q 다음에 제시된 한자성어를 큰소리로 읽어 보십시오.

勸善懲惡	有備無患	特急郵便	松田郵遞局

勸善懲惡 → 권선징악, 有備無患 → 유비무환,
特急郵便 → 특급우편, 松田郵遞局 → 송전우체국

04 영어 관련 질문유형

Q (영문주소 제시) 이를 읽어 보십시오.

① P.O. Box, 119, Gukgok−ri, Geumnam−myeon, Sejong, Korea ② 24, Yeokgok 1−dong, Wonmi−gu, Bucheon−si, Gyeonggi−do, Korea

① P.O. Box, 119, Gukgok−ri, Geumnam−myeon, Sejong, Korea
→ 세종특별자치시 금남면 국곡리 사서함 119

② 24, Yeokgok 1−dong, Wonmi−gu, Bucheon−si, Gyeonggi−do, Korea
→ 경기도 부천시 원미구 역곡1동 24번지

Q (우편업무에 대한 영어 문장 제시) 이를 읽고 해석해보십시오.

① What's the postage rates for the special delivery? ② Do you want fast delivery or normal delivery? ③ What is the postage to China? ④ Where is the window for parcels?

① What's the postage rates for the special delivery?
→ 빠른 우편요금은 얼마입니까?

② Do you want fast delivery or normal delivery?
→ 빠른 등기로 하시겠어요? 보통 등기로 하시겠어요?

③ What is the postage to China?
→ 중국까지 우편요금이 얼마입니까?

④ Where is the window for parcels?
→ 소포취급창구가 어디입니까?

04 CHAPTER

면접 기출질문

#기출질문 #2023~2010년 #14개년 기출질문

2023년 우체국집배원(우정9급) 면접 기출문제

1. 간단한 자기소개와 지원동기에 대해 말해보세요.
2. 공무원의 덕목중에서 본인이 집배원이라고 생각한다면 어떤거를 고르겠는가?
3. 갈등이 일어날 수 있는 조직 문화에서 상호간 원만한 관계를 유지할 수 있는 방법을 말해보세요.
4. 등기우편의 종류에 대하여 아는대로 말해보세요.
5. 복지등기에 관하여 아는대로 말해보세요.
6. 공무원법령에 명시되어 있는 공무원의 자세에 대하여 말해보세요.
7. 우체국과 타 지자체의 협업으로 실현 가능한 사업이 있다면 말해보세요.
8. 이륜차가 출발하기 전 점검해야 할 요소는 무엇인가?
9. 서신독점권이 무엇인지 아는대로 말해보세요.
10. 우체국에서 불편했었거나 개선했으면 하는 점, 이를 해결할 방안이 무엇인지 말해보세요.
11. 교차로에서 우회전 하는 법에 대하여 설명해보세요.
12. 음주운전의 수치와 처벌 및 벌금에 대하여 아는대로 말해보세요.

2023년 별정우체국직원(집배원) 면접 기출문제

1. 간단한 자기소개와 지원동기에 대하여 말해보세요.

2. 별정직집배원을 지원한 동기에 대하여 말해보세요.

3. 집배원에게 필요한 것이 있다면 3가지 정도 말해보세요.

4. 집배원으로 일을 하게 될 경우 모두가 꺼려하는 업무가 있을 경우 어떻게 할 것인가?

5. 우편 고객센터 전화번호는 무엇인가?

6. 악성민원이 있을 경우 해결방법과 사례에 대해서 말해보세요.

7. EMS가 무엇인지 아는대로 설명해보세요.

8. 스트레스 해소법은 어떻게 됩니까?

2022년 우체국집배원(우정9급) 면접 기출문제

1. 간단하게 자기소개를 해보세요.
2. 우체국 집배원에 지원한 동기는 무엇인가?
3. 집배원이 되려는 이유는 무엇인가?
4. 집배원이 된다면 어떠한 마음가짐으로 일할 것입니까?
5. 리더십을 발휘한 경험에 대해서 말해보세요.
6. 창의력을 발휘했던 경험에 대해서 말해보세요.
7. 항의를 하는 민원인에게 어떻게 대처할 것인지 말해보세요.
8. 교통사고 12대 중과실에 대해서 설명해보세요.
9. 등기를 분실할 경우 손상보상액에 대해서 말해보세요.
10. 오토바이 운전 경력에 대해서 말해보세요.
11. 우체국에서 진행하고 있는 사업에 대해서 알고 있는 것을 말해보세요.
12. 현재 자기계발을 하고 있는 것이 있는가?
13. 공무원의 덕목 중에서 당신이 집배원이 된다면 어떠한 것을 가장 중요하게 여길 것인가?
14. 등기우편의 종류에 무엇이 있는가?
15. 음주운전 알코올 수치, 처벌, 벌금 등 아는 대로 모두 설명해보세요.

2022년 우정실무원 면접 기출질문

1. 우정실무원이 공무직인 것을 알고 있습니까?
2. 우정실무원이 무엇인지 설명해보세요.
3. 우정실무원에 지원한 동기에 대해서 말해보세요.
4. 우체국과 관련된 업무를 해본 경험이 있습니까?
5. 우체국의 우표 가격에 대해 알고 있습니까?
6. 소포박스 무게가 다양하게 있다는 것을 알고 있습니까?
7. 택배 규격에 대해서 말해보세요.

2021년 우체국집배원(우정9급) 면접 기출질문

1. 오토바이 운전 경력이 있습니까?
2. 우체국 대표번호 3개를 말해보세요.
3. 현재 들고 있는 우체국 예금이 있습니까?
4. 나이가 제법 어린데, 굳이 집배원을 하는 이유는 무엇입니까?
5. 첫 월급은 어디에 사용할 건가요?
6. 주량은 어느 정도이며 주사가 있습니까?
7. 이륜차 음주운전 처벌 기준에 대해 알고 있습니까?
8. 두 명 이상 함께 일을 해 본 경험이 있습니까?
9. Small Packet 읽어보세요.
10. 이륜차 운행 간 주의해야 할 사항은 무엇입니까?
11. 집배원 10대 안전수칙에 대해 말해보세요.
12. 준등기와 선택등기에 대해 설명해보세요.
13. 통상우편, 등기우편문의 가격을 말해보세요.
14. 상사의 부당한 지시에 어떻게 대응할 것입니까?

15. 우편번호에 대해 설명해보세요.

16. 공무원으로서 꼭 필요한 자질과 자세는 무엇이라고 생각합니까?

17. 합격 후의 포부를 말해보세요.

2020년 우체국집배원(우정9급) 면접 기출질문

1. 최근 읽은 책은 무엇입니까?

2. 왜 힘든 직업에 지원하였습니까?

3. 자신이 이 업무에 적합하다고 생각하는 이유에 대해 말해보십시오.

4. 주량은 어떻게 됩니까?

5. 직장 내 직장동료들과의 관계에서 가장 중요한 점이 무엇인지 말해보십시오.

6. 직장동료와 다퉜을 시, 어떻게 대처할 것입니까?

7. 상사가 부당한 업무(불법적인 일)를 시켰을 경우 어떻게 할 것입니까?

8. 최근 기사에서 본 이슈가 무엇입니까?

9. 배달 시 사고가 발생할 경우 어떻게 대처하시겠습니까?

10. 차량사고 시 조치사항에 대해 말해보십시오.

11. 배달을 했는데 만약 물건이 사라진다면 어떻게 할 것인지 말해보십시오.

12. 소포분실 시 손해배상금액에 대해 말해보십시오.

13. 등기 분실 시 최대 얼마를 보상해 주는가?

14. 시간이 부족하여 우편물이 한통이 남은 경우에 어떻게 대처할 것인지 말해보십시오.

15. 등기 반송 요금에 대해 말해보십시오.

16. 등기 재배달 횟수에 대해 말해보십시오.

17. 지번주소에서 도로명주소로 바뀐 이유가 무엇인지 말해보십시오.

18. 우체국이 경쟁사 중에서 살아남기 위해서는 어떤 점을 개선해야 하는지 말해보십시오.

19. 우체국 이용 시 불편했던 경험이나 개선할 사항에 대해 말해보십시오.

20. 우체국에 대해서 평소에 하고 싶었던 이야기가 있습니까?

21. 우체국 금융이랑 일반 금융의 차이점이 무엇인지 말해보십시오.

22. 우편 무게당 요금에 대해 말해보십시오.

23. 우편이 적자인데 개선할 방법이나 해결책을 제시해보십시오.

24. 고객에게 민원 전화가 왔을 때 대처방법에 대해 말해보십시오.

25. 우체국 관할과 소속에 대해 말해보십시오.

26. 우체국 과로사에 대해 자신의 생각을 말해보십시오.

27. 우체국 업무 중에서 수익성이 가장 좋은 업무는 무엇입니까?

28. EMS와 국제 우편과 관련하여 우편요금과 규격에 대해 말해보십시오.

29. 우편물 송달 순서에 대해 말해보십시오.

30. 아르바이트나 다른 사회생활에서 겪었던 경험에 대해 말해보십시오.

31. 내용증명에 대해 설명해보십시오.

32. 공무원의 의무에 대해 아는 대로 말해보십시오.

33. 성실의 의무에 대해 설명해보십시오.

34. 본인이 가장 중요하게 생각하는 공무원의 덕목에 대해 말해보십시오.

35. 대리수취인제도에 대해 말해보십시오.

36. 교통법규 중과실에 대해 말해보십시오.

37. 오토바이는 잘 타는 편입니까? 사고 난 적은 없었습니까?

38. 최근 우체국 관련 사업에 대해 말해보십시오.

39. 우체국의 최근 미래 산업, 자율주행차과 관련하여 어떻게 생각하는가?

40. 업무를 배울 때 멘토에게 무엇을 배우고 싶은가?

41. 업무를 보면서 민원인이 계속 클레임을 걸었을 경우 어떻게 대처할 것인가?

2020년 계리직 기출질문

1. 김영란법에 대해 설명해보시오.
2. 성과연봉제의 장단점과 개인적인 견해를 말해보시오.
3. 롱테일의 법칙을 말해보시오.
4. 나만의 우표에 대하여 설명해보시오.
5. 친한 친척이 청탁을 하였다. 사이가 멀어질 것을 각오하고도 거절할 수 있는가?
6. 우체국의 단점과 개선점을 말해보시오.
7. 자기계발을 위하여 무엇을 하는가?
8. 우체국 보험의 종류와 장점을 말해보시오.
9. 우체국이 타 금융기관과의 경쟁에서 수익성을 올릴 수 있는 방법을 말해보시오.
10. 조직 내에서 동료들과 불화가 있었던 경험이 있었다면 어떻게 극복하였는가?
11. 과장과 국장의 다른 지시가 내려졌을 때 어떤 지시를 따를 것인가?
12. 우체국에서 최근 시행한 서비스 중 아는 것을 모두 말해보시오.
13. 우정사업본부 홈페이지를 보고 느낀 점과 개선할 점을 말해보시오.
14. 공무원으로서 가져야할 역량과 자질을 말해보시오.
15. 악성민원에 대한 대처 및 본인만의 응대 노하우를 말해보시오.
16. 신입직원인 나의 아이디어를 과장이 반려할 경우 어떻게 대처할 것인가?
17. 우체국에서 일하면서 필요한 역량을 말해보시오.
18. 우체국에서 하는 사업이 무엇이 있는지 말해보시오.
19. 민간보험과 우체국 보험의 차이를 말해보시오.
20. 퇴근시간에 상사가 일을 시킨다면 어떻게 대처할 것인가?
21. 우체국 규정과 고객 요구사항이 충돌할 경우 어떻게 대처할 것인가?
22. 고객에게 체크카드를 발급하는데 직원의 실수로 서류 하나를 알려드리지 않아 재방문하였을 때 대처 방법을 말해보시오.
23. 드론 배송의 장점을 말해보시오.

24. 드론 배송을 이용 시 고려해야 할 사항을 말해보시오.

25. 드론 사용화를 위해 우체국이 노력해야 하는 점이 있다면 무엇이라고 생각하는가?

26. 드론 산간 지역 배송에 성공했던 뉴스 기사를 말해보시오.

27. 드론 배송이 어려운 10가지 이유를 말해보시오.

28. 빅데이터 분석의 운송거리 효율화는 무엇을 말하는가?

29. 마이너스 금리 또는 금리인상을 실시하는 이유를 말해보시오.

31. 4차 산업 혁명과 연계하여 생겼으면 하는 상품과 서비스를 말해보시오.

2019년 서울노원우체국 등 우체국집배원 면접 기출질문

1. 집배원으로 지원하게 된 동기는 무엇입니까?

2. 우체국에서는 어떤 일을 하고 있는지 알고 있습니까?

3. 우체국 이용하면서 서비스에 불만족했던 경험을 말해보십시오.

4. 집배원의 일과를 알고 있습니까?

5. 평소에 체력관리는 어떻게 하고 있습니까?

6. 집배원이 배달하는 데 이용하는 수단은 무엇입니까?

7. 집배원이 하는 일을 간략히 말해보십시오.

8. 집배원의 업무가 왜 중요한지 말해보십시오.

9. 개편된 도로명주소에 대해 어떻게 생각합니까?

10. 집배원으로서 가장 필요한 자질 세 가지만 든다면 무엇을 들겠습니까?

11. 지역사회라 고객들이 정해져 있어 유대관계 형성이 중요합니다. 어떻게 유대관계를 형성하겠습니까?

12. 업무 관련해서 다음 영어의 뜻을 말해보십시오.

Unknown(수취인 불명), Insufficient(주소 불명), Unclaimed(교부청구 없음), Refused(수취거절), Gone away(이사)

13. 다음 한자를 읽어 보세요.

郵遞局(우체국), 隣近(인근), 到着(도착), 革新(혁신), 江原道 束草市 永郎洞(강원도 속초시 영랑동)

2018년 서울중앙우체국 우체국 택배원(무기계약직) 면접 기출질문

1. 지원동기에 대해 말해보십시오.
2. 본인의 생활신조와 가치관에 대해 말해보십시오.
3. 본인의 우체국 택배원으로서의 어떠한 장점을 가지고 있는지 말해보십시오.
4. 본인의 지금까지의 경력 및 특기사항에 대해 말해보십시오.
5. 만약 우체국 택배원으로 합격하여 근무하게 된다면 어떻게 하겠는지 말해보십시오.
6. 우체국 택배원은 무거운 물건도 배달을 해야 하며, 몇몇 아파트 관리실에서는 하대를 받는 경우도 있는데 이러한 상황에 닥치게 된다면 어떻게 견디겠습니까?
7. 우체국 택배원은 택배기사의 역할 뿐 아니라 국제특급우편의 방문접수 및 기타 부대 업무를 수행해야 하는데 본인이 적합하다고 생각합니까?
8. 토요일 우체국 근무시간은 어떻게 됩니까?
9. 고객이 방문접수에 대해 문의하였다면 어떻게 설명하겠습니까?
10. 우체국 택배시간에 대해 말해보십시오.
11. 우체국 택배가격에 대해 말해보십시오.
12. 우체국 택배의 배송기간에 대해 말해보십시오.

2017년 울산우체국 우체국 택배원(무기계약직) 면접 기출질문

1. 자기소개를 해보십시오.
2. 지원동기에 대해 말해보십시오.
3. 우체국 일이 힘든데 할 수 있겠습니까?
4. 1톤 탑차 운전을 할 수 있습니까?
5. 만약 합격이 되어 근무를 하게 된다면 본인의 각오에 대해 말해보십시오.
6. 우체국 택배가 다른 일반 택배에 비해 어떠한 장점이나 단점이 있다고 생각하십니까?
7. 우체국 택배의 개선사항이 있다면 말해보십시오.

8. 고객이 우체국에 건의사항이 있다며 말을 한다면 어떻게 대처하시겠습니까?

9. 급여가 적고 업무는 힘든데 잘 할 수 있겠습니까?

10. 도로명주소 체계에 대해 말해보십시오.

11. 우체국 택배의 규격에 대해 아는 대로 말해보십시오.

12. 우편수수료랑 기본요금에 대해 아는 대로 말해보십시오.

13. 우체국 택배원이 무슨 일을 하는지 아는 대로 말해보십시오.

2017년 경기고양일산우체국 상시계약 집배원(무기계약직) 면접 기출질문

1. 왜 집배원을 하려고 하는지 그 이유에 대해 말해보십시오.

2. 지금까지 무슨 일을 했습니까?

3. 집배원은 일은 힘든데 잘 할 수 있다고 생각합니까?

4. 본인의 인생 목표가 무엇입니까?

5. 자기소개를 1분간 해보십시오.

6. 등기가 무엇인지 설명해보십시오.

7. 고객이 등기를 빨리 배달해 달라고 한다. 이에 응하면 구역이 달라 다른 곳까지 시간이 밀리게 되는데 어떻게 처리하겠습니까?

8. 요즘 우편요금이 얼마나 하는지 말해보십시오.

9. 등기의 가격이 얼마인지 말해보십시오.

10. 창구 교부에 대해 설명해보십시오.

11. 대리수취인 제도에 대해 설명해보십시오.

12. 오토바이는 어느 정도 탄다고 생각합니까?

13. 본인이 고객의 우편을 배달하고 있는데 불법주차 차량으로 인하여 부득이하게 멀리 오토바이를 세우고 다녀와야 한다면 불법주차 차량을 어떻게 하겠습니까?

2017년 세종우체국 상시계약 집배원(무기계약직) 면접 기출질문

1. 이륜차 사고 예방을 위하여 어떻게 해야 한다고 생각합니까?
2. 오배달로 인한 민원 발생 시 어떻게 대처하시겠습니까?
3. 최근에 가장 주의 깊게 본 기사 내용은 무엇입니까?
4. 등기우편의 종류에 대해 말해보십시오.
5. 일반통상우편물이 무엇인지 설명해보십시오.
6. 일반등기 배달일이 언제인지 말해보십시오.
7. 특별통상우편물 배달 시 배우자에게 배달하여도 되는지 말해보십시오.
8. 우편물 취급규칙에 대해 아는 대로 말해보십시오.

2016년 충청지방우정청 우정9급 우정서기보(집배) 공무원 면접 기출질문

1. 출퇴근은 무엇으로 할 생각입니까?
2. 우체국 예금에 대해 아는 대로 설명해보십시오.
3. 블로그나 SNS를 하고 있습니까? 본인이 그것을 통해 얻는 이익은 무엇입니까?
4. 다른 지원자 보다 나이가 많은 편인데 본인의 장점은 무엇이라 생각합니까?
5. 최근 들어 금수저, 흙수저 이런 말들을 사용하는데 본인은 어디에 해당한다고 생각합니까?
6. 휴대용 기기를 잘 다루는 편입니까?
7. 노조에 가입할 의사가 있습니까?
8. 지원서를 보면 전공과 완전히 다른데 지원한 이유가 무엇입니까?
9. 오늘 여기까지 무엇을 타고 왔습니까?
10. 오늘 면접을 위해 본인이 준비한 것은 무엇이 있습니까?
11. 조직의 관행이나 관습을 깨고 창의적인 아이디어를 낸 경험이 있다면 말해보십시오.
12. 갈등을 해결해 본 경험이 있다면 말해보십시오.
13. 공무원 시험에서 개선되어야 할 사항이 있다면 말해보십시오.

14. 내부고발자에 대한 본인의 생각을 말해보십시오.

15. 최근 우체국 택배를 토요일에 재개하게 되었는데 본인의 생각은 어떠합니까?

16. 마지막으로 하고 싶은 말이 있다면 말해보십시오.

2016년 광주우체국 상시계약 집배원(무기계약직) 면접 기출질문

1. 다른 지원자들에 비해 나이가 많은데 집배 일을 잘 할 수 있는지 말해보십시오.
2. 주소가 광주가 아닌데 어떻게 지원을 하게 되었습니까?
3. 계리직에 대해 아는 대로 말해보십시오.
4. 합격 후 포부에 대해 말해보십시오.
5. 평소 주량은 어떻게 됩니까?
6. 집배원이 본인의 적성에 맞다고 생각합니까?

2016년 전남지방우정청 우정서기보(집배) 면접 기출질문

1. 공무원의 징계에 대해 아는 대로 말해보십시오.
2. 등기의 종류에 대해 말해보십시오.
3. 우체국 하이브리드 체크카드에 대해 말해보십시오.
4. 본인의 거주지를 도로명주소로 말해보십시오.
5. 지원하게 된 동기에 대해 말해보십시오.
6. 집배 일을 해 본 적이 있습니까?

2016년 목포우체국 상시계약집배원(무기계약직) 면접 기출질문

1. 동아리 활동은 무엇을 해보았습니까?
2. 이력서에 본인이 작성한 자기소개 내용을 다시 한 번 말해보십시오.

3. 본인의 폰에 저장된 연락처의 수는 모두 몇 개 입니까?

4. 만약에 집배 일을 하다 어려움에 처했을 경우 동료나 선배에게 도움을 요청하겠습니까?

5. 본인은 평상 시 어려움에 처할 경우 본인 스스로 해결하는 타입인지 아니면 주위의 도움을 받아서 해결하는 타입인지 말해보십시오.

6. 우체국이 무엇을 하는 곳인지 설명해보십시오.

7. 상시계약 집배원이 하는 일이 무엇인지 말해보십시오.

2016년 경북 봉화재산우체국 별정우체국직원 집배원 면접 기출질문

1. 우체국 예금과 우체국 보험에 대해 아는 대로 설명해보십시오.

2. 본인의 전공과 관련하여 우체국에서 할 수 있는 일은 무엇이라고 생각합니까?

3. 본인이 평소 우체국을 이용하면서 우체국 직원에게 느낌 점은 무엇입니까?

4. 본인이 평소 우체국을 이용하면서 우체국 직원을 평가한다면 서비스점수를 얼마나 줄 수 있습니까?

5. 본인이 평소에 자신의 건강관리를 하는 방법이 있습니까?

6. 휴일에는 주로 무엇을 하면서 보냅니까?

7. 다른 직업도 많은데 왜 집배원을 선택하게 되었습니까?

8. 직무의 편함과 연봉이 많은 것 중 본인은 무엇을 선택하겠습니까?

9. 고령화 및 저출산 문제에 대해 정부가 어떠한 조치를 하여야 한다고 생각합니까?

2015년 제주지방우정청 상시계약 집배원(무기계약직) 면접 기출질문

1. 대한민국 국민의 4대 의무에 대해 아는 대로 말해보십시오.

2. 고객이란 무엇이라고 생각합니까?

3. 앞으로의 본인의 목표는 무엇입니까? 구체적으로 말해보십시오.

4. 본인이 다른 사람에 비해 잘한다고 생각하는 것이 있습니까?

5. 직장생활에서 본인이 가장 중요하다고 생각하는 것은 무엇입니까?

6. 집배원으로 일하는 데 결격사유가 없다고 생각합니까?

7. 집배원의 단점은 무엇이라고 생각합니까?

8. 마지막으로 본인이 하고 싶은 말이 있습니까?

2015년 의정부우체국 상시계약 집배원(무기계약직) 면접 기출질문

1. 개편된 도로명주소에 대해서 아는 대로 설명해보십시오.

2. 도로명주소로 변경된 것에 대하여 본인은 어떻게 생각합니까?

3. 우체국에서는 무슨 업무를 하는지 알고 있습니까?

4. 우체국 택배원이 하는 업무가 무엇인지 알고 있습니까?

5. 우체국 집배원이 하는 업무가 무엇인지 알고 있습니까?

6. 합격을 할 경우 자신의 포부에 대해서 말해보십시오.

7. 자기소개를 해보십시오.

8. 지원동기는 무엇입니까?

9. 본인의 가족사항에 대해 설명해보십시오.

10. 본인이 집배원이라는 사실을 속이며 사는 사람들도 많은데 이런 사람들에 대해서 어떻게 생각합니까?

11. 우체국이 하는 일이 무엇인지 알고 계십니까?

12. 내용증명이 무엇인지 설명해보십시오.

13. 같은 일을 나누어 하다보면 다른 집배원에 비해 더 받을 수도 있습니다. 이럴 때는 어떻게 할 것입니까?

14. EMS에 대해 설명해보십시오.

15. 별정우체국집배원과 상시계약 집배원이 어떻게 다른지 설명해보십시오.

2015년 고양일산우체국 상시계약 집배원(무기계약직) 면접 기출질문

1. 택배경험이 얼마나 있습니까?

2. 상시계약 집배원과 별정우체국집배원이란 무엇입니까?

3. 다음에 제시하는 한자성어를 읽어보십시오.

   日就月將(일취월장), 登記郵便(등기우편)

4. 개정된 도로명주소로 본인의 집 주소를 말해보십시오.

2015년 김포우체국 상시계약 집배원 면접 기출질문

1. 집배원에 지원한 동기가 무엇입니까?

2. 우체국에서 하는 업무가 무엇인지 알고 있습니까?

3. 본인에게 과중한 업무지시나 잘못된 지시가 내려졌을 경우 어떻게 대처하겠습니까?

4. 2종 소형면허가 있으면 원동기 운전이 가능합니까?

5. 원동기를 운행해야 하는데 잘 할 수 있습니까?

6. 우체국은 업무가 가중되는 시기가 있습니다. 이 시기가 도래하면 어떻게 임하겠습니까?

7. 우편번호 개정에 대해서 본인은 어떻게 생각합니까?

8. 집배원이 되면 어떻게 근무를 하실 계획입니까?

9. 다음에 제시하는 영어를 읽고 해석해 보겠습니까?

   P.O. Box, 110/14, Geomsan-dong, Paju-si, Gyeonggi-do, Korea

10. 다음에 제시하는 한자성어를 읽어 보십시오.

   道聽塗說(도청도설), 尾生之信(미생지신)

2015년 전남지방우정청 광주권 상시계약 집배원(무기계약직) 면접 기출질문

1. 본인은 민첩한 편이라고 생각합니까?
2. 원동기를 운전할 줄 아십니까?
3. 우편번호가 개정된 시기가 언제입니까?
4. 본인이 지금까지 살면서 겪은 일 중 가장 힘들었던 일은 무엇입니까?
5. 우편배달에서 가장 중요한 것이 무엇이라고 생각합니까?
6. 본인이 집배원이 되어 일을 할 경우 신속, 정확, 대인관계 중 가장 중요하게 여겨야 한다고 생각하는 것은 무엇입니까? 그 이유는 무엇입니까?
7. 도로명주소체계에 대해서 설명해보십시오.
8. 우체국의 장점과 단점을 설명해보십시오.
9. 상시계약 집배원이 하는 일은 무엇인가요?
10. 동료과 갈등이 생긴다면 어떻게 할 것입니까?

2015년 부산진우체국 상시계약 집배원(무기계약직) 면접 기출질문

1. 본인이 채용을 희망하는 지역을 한문으로 써 보십시오.
2. 우체국에서 집배원이 하는 업무는 무엇입니까?
3. 우체국과 우편집중국의 차이점에 대해 설명해보십시오.
4. 본인이 만약 채용되었다고 가정하고 보험을 고객에게 팔 수 있는 방법을 말해보십시오.
5. 봉사활동을 한 경험이 있습니까?
6. 본인 성격의 장점과 단점을 3가지씩 말해보십시오.
7. 연봉이 적은데 생활하는 데 지장이 없다고 생각합니까?
8. 도로명주소를 사용해 본 결과 개편이 잘된 것이라고 생각합니까?
9. EMS에 대해 아는 대로 말해보십시오.
10. 본인이 지원하는 직무가 하는 일이 무엇인지 설명해보십시오.

2014년 전남지방우정청 별정우체국직원 집배원 면접 기출질문

1. 집배원이 하는 일이 무엇입니까?
2. 집배원으로서의 포부가 무엇입니까?
3. 평소 하고 싶은 일이 무엇이었습니까?
4. 집배원은 일이 힘들고 고단한 직업인데 힘들 때 포기하지 않을 자신이 있습니까?
5. 희망 근무 지역과 이 지역에서의 근무경험이 얼마나 있습니까?
6. 우체국에서 판매하는 상품에 대해 얼마나 알고 있는지 말해보십시오.
7. 우체국 상품 중에 가입한 것이 하나라도 있습니까?
8. 본인의 성격 중에 단점이 무엇이라고 생각합니까?
9. 우체국 택배가 다른 택배에 비해서 다른 점이 무엇이라고 생각합니까?
10. 개인적인 약속으로 퇴근을 하려고 하는데 상사가 추가업무를 지시한다면 어떻게 대처하겠습니까?

2014년 우정사업본부 기능직 9급 정보통신현업(집배원) 면접 기출질문

1. 집배원이 하는 일이 무엇인지 알고 있습니까?
2. 집배원으로서의 자신의 포부에 대해서 말해 보겠습니까?
3. 평소 하고 싶은 일이 무엇이었습니까?
4. 집배원 일을 하면서 힘들 때가 많을 텐데 힘들면 포기할 것입니까?
5. 본인이 희망하는 지역과 이 지역에서의 근무경험이 있습니까?
6. 우체국 상품에 대해서 아는 대로 말해보십시오.
7. 우체국이 무엇을 하는 곳이라고 알고 있습니까?
8. 자신의 단점은 무엇입니까?
9. 우체국 택배는 다른 택배에 비해 어떤 점이 다르다고 생각합니까?
10. 규정에 맞지 않는 물건을 맡기려는 고객이 온다면 본인은 어떻게 대처하겠습니까?
11. 개인적으로 약속이 있는데 추가적으로 일할 상황이 발생한다면 어떻게 하겠습니까?

2014년 동대구우체국 상시계약 집배원(무기계약직) 면접 기출질문

1. 지원하게 된 동기가 무엇입니까?
2. 2종 보통운전면허증을 가지고 있다면 원동기를 탈 수 있습니까?
3. 교통사고 11대 중과실이 무엇인지 설명해보십시오.
4. 내용증명이란 무엇인지 설명해보십시오.
5. 특별송달이 무엇인지 설명해보십시오.
6. EMS란 무엇인지 설명해보십시오.
7. 상사가 불합리한 명령을 내렸을 경우에는 어떻게 대처하겠습니까?

2014년 광주우체국 상시계약 집배원(무기계약직) 면접 기출질문

1. 집배원에 지원한 동기는 무엇입니까?
2. 본인의 가족사항은 어떻게 됩니까?
3. 현재까지 무슨 일을 하고 있었습니까?
4. 우체국이 하는 일이 무엇인지 알고 있습니까?
5. 우체국에서 판매하는 예금, 보험, 금융상품에 가입한 것이 있습니까?
6. 지원동기 및 자신의 포부에 대해 말해 보겠습니까?
7. 국장이 부당한 업무를 지시하여 본인과 마찰이 발생하였다면 어떻게 대처하겠습니까?
8. 집배원의 업무는 힘들고 어려운데 할 수 있겠습니까?
9. 만약 업무를 하게 된다면 출퇴근은 어떻게 할 겁니까?
10. 본인 성격의 장점과 단점에 대해 말해 보겠습니까?

2014년 포항우체국 상시계약 집배원(무기계약직) 면접 기출질문

1. 오늘 여기까지 무엇을 타고 왔습니까?
2. 남을 도운 경험이 있다면 자세하고 구체적으로 1분 동안 설명해 보겠습니까?
3. 집배원에 지원한 동기는 무엇입니까?
4. 우체국에서 어떤 업무를 하고 싶습니까? 또한 본인이 업무를 잘 할 수 있을 거라고 생각합니까?
5. 집 근처에 우체국이 어디에 있는지 알고 있습니까?
6. 현재 거주하는 곳과 주거래은행, 우체국과의 거리는 얼마나 됩니까?
7. 최근에 우체국을 방문한 적이 있습니까? 우체국을 방문하였다면 그 이유는 무엇이었습니까?
8. 우체국의 좋은 점과 나쁜 점에 대해서 말해 보겠습니까?
9. 주변에 우체국에서 근무하는 사람이 있습니까?
10. 집배원 초봉이 얼마인지 알고 있습니까? 이백만 원도 안 되는데 일을 할 수 있겠습니까?

2013년 영천우체국 상시계약 집배원(무기계약직) 면접 기출질문

1. 집배원에 지원하게 된 동기는 무엇입니까?
2. 본인의 가족 소개를 해보십시오.
3. 우체국의 사업구조에 대해서 설명해보십시오.
4. 한미 FTA에 대해서 어떻게 생각합니까?
5. 원동기 면허증을 가지고 있습니까?
6. 상사가 본인의 능력을 벗어난 업무지시를 한다면 어떻게 대처하겠습니까?
7. 집배원을 일을 하면 사람을 많이 만나게 되는데 친하게 지내는 사람이 고가의 물품을 전달해 달라는 부탁을 하게 된 경우 어떻게 대처하겠습니까?

2013년 논산우체국 상시계약 집배원(무기계약직) 면접 기출질문

1. 자기소개를 1분간 자세하게 해보십시오.
2. 집배원에 지원한 동기가 무엇입니까?
3. 자신의 성격 중 장점과 단점을 1가지씩 말해보겠습니까?
4. 본인은 오토바이를 잘 탄다고 생각합니까?
5. 본인의 집에서 여기까지의 거리가 어느 정도 입니까?

2012년 영덕우체국 상시계약 집배원(무기계약직) 면접 기출질문

1. 식사는 하고 왔습니까?
2. 자신의 능력 100% 이상의 실적을 올리라고 한다면 어떻게 하겠습니까?
3. 우체국이 원래 우편 관련 업무만 했는데 왜 수익형 상품인 금융과 보험을 시행했다고 생각합니까?
4. 봉사활동이나 남을 도운 경험을 말해 보겠습니까?
5. 우체국 업무와 관련된 본인의 장점을 하나 말해보십시오.
6. 집배원이 무슨 일을 하는지 알고 있습니까?
7. 10% 투자를 해서 10%의 수익을 올린다면 그 사업은 계속해야 합니까?

2012년 보성우체국 상시계약 집배원(무기계약직) 면접 기출질문

1. 집배원에 지원한 동기가 무엇입니까?
2. 평소 주량이 얼마나 됩니까?
3. 만약 술을 마시고 상사나 동료 및 후배에게 실수를 했다면 다음날 어떻게 대처할 것입니까?
4. 본인의 성격 중 남들과 다른 강점은 무엇입니까?
5. 지금 보통 우편요금이 얼마인지 알고 있습니까?
6. 더 좋은 조건의 직장이 나타난다면 이직을 할 생각이 있습니까?

7. 현재 사용하는 핸드폰 요금은 누가 냅니까?

8. 우체국 하면 가장 먼저 떠오르는 것이 무엇입니까?

9. 집배원 하면 가장 먼저 떠오르는 것이 무엇입니까?

10. 우체국에서 하고 있는 서비스 중에 알고 있는 것이 있습니까?

2012년 부산강서우체국 상시계약 집배원(무기계약직) 면접 기출질문

1. 오늘 식사는 하고 왔습니까?

2. 상사가 부당한 지시를 한다면 어떻게 대처하겠습니까?

3. 우체국 보험 상품에 가입한 것이 있습니까?

4. 우체국에 대해 아는 대로 말해보십시오.

5. 최근 6개월 동안 읽은 책에 대해 줄거리와 느낀 점을 말해보십시오.

6. 지원동기가 무엇입니까?

7. 본인의 가족관계에 대해 말해보십시오.

8. 본인의 성격 중 장점 한 가지만 말해보십시오.

9. 본인의 어떠한 점이 집배원과 어울린다고 생각합니까?

10. 마지막으로 하고 싶은 말이 있습니까?

2012년 경인지방우정청 계리직 공무원, 기능직 집배원 면접 기출질문

1. 자기소개를 해보십시오.

2. 본인의 국가관을 말해보십시오.

3. 국민의 4대 의무에 대해 말해보십시오.

4. 국가의 구성요소 3가지에 대해 말해보십시오.

5. 계리직에 지원하기 전까지 무슨 일을 했습니까?

6. 당신이 전에 하던 업무가 우체국 업무에 어떤 도움이 된다고 생각합니까?

7. 왜 일을 그만두고 공무원이 되려고 합니까?

8. 계리직이 무슨 일을 하는지 알고 왔습니까?

9. 더 좋은 공무원도 많은데 다른 공무원 시험에는 지원해 볼 생각이 있습니까?

10. 다른 나라는 우편 업무가 거의 민영화되어 있습니다. 우리나라도 민영화가 되어야 한다고 생각합니까?

11. 우체국 보험 상품에 대해서 아는 대로 말해보십시오.

12. EMS가 무엇인지 말해보십시오.

13. 저소득층 압류금지 통장 이름이 무엇입니까?

14. 현재 우리나라 우체국 예금 이율은 얼마입니까?

15. 우리나라 우편 업무가 시작된 시기가 언제입니까?

16. 본인이 우체국에 근무한다면 어떤 일을 가장 잘 할 수 있습니까?

2012년 양평우체국 상시계약 집배원(무기계약직) 면접 기출질문

1. 식사는 하고 오셨습니까?

2. 자기소개를 1분간 해보십시오.

3. 자신의 장점과 단점에 대해 이야기해보십시오.

4. 집배원에 지원하게 된 동기는 무엇입니까?

5. 우리가 당신을 뽑아야 하는 이유가 무엇입니까?

6. 원동기 면허증은 가지고 계십니까?

7. 당신의 실수로 우편이 오배달되어 고객이 매우 화가 났습니다. 어떻게 대처할 것입니까?

8. 평소 우체국을 이용하면서 직원들을 보며 느낀 점과 개선할 점이 있다면 말해보십시오.

9. 고객이 등기를 어떻게 보내는지 물어보는데 고가의 물품입니다. 어떻게 설명을 하겠습니까?

10. 평소 부모님과는 자주 대화를 합니까?

11. 본인이 집배원이 된다면 어떤 자세로 임할 것입니까?

12. 고객만족을 위해 우체국 직원들이 해야 할 일에는 무엇이 있습니까?

13. 평소 체력관리는 잘 하고 있습니까?

14. 무슨 운동을 좋아합니까?

15. 직장이 본인에게 있어 무엇이라고 생각합니까?

2011년 서울관악우체국 상시계약 집배원(무기계약직) 면접 기출질문

1. 본인이 우체국에 근무를 하게 된다면 가장 먼저 무엇을 바꾸고 싶습니까?
2. 우리가 당신은 뽑아야 하는 구체적인 이유를 말해보십시오.
3. 본인을 소개해보십시오.
4. 출퇴근은 어떻게 할 것입니까?
5. 자가용을 타고 출근을 하면 GREEN POST 2020에 위배된다는 사실을 알고 있습니까? 그럼 GREEN POST 2020이 무엇입니까?

2011년 영덕우체국 상시계약 집배원(무기계약직) 면접 기출질문

1. 우체국 집배원에 지원한 동기는 무엇입니까?
2. 우체국의 업무에 대해 아는 대로 말해보십시오.
3. 일을 하다보면 스트레스나 갈등이 발생할 수 있습니다. 해결방법에는 무엇이 있는지 말해보십시오.
4. 아르바이트나 다른 직장에서 일을 하면서 가장 힘들었던 점은 무엇이 있었습니까?
5. 한 직장에서 가장 오래 근무한 기간은 어느 정도입니까?
6. 결혼은 하셨습니까? 아니면 언제쯤 하실 계획입니까?
7. 원동기를 어느 정도나 잘 탄다고 생각합니까?
8. 마지막으로 하고 싶은 말이 있습니까?

2011년 함안우체국 상시계약 집배원(무기계약직) 면접 기출질문

1. 우체국이 어디가 좋아서 지원한 것입니까?

2. 본인은 상사에게 무조건 복종을 합니까? 그 이유는 무엇입니까?

3. 상사가 업무 외적인 일을 지시한다면 어떻게 대처하겠습니까?

4. 컴퓨터와 관련된 자격증을 가지고 있는 게 있습니까?

5. 공공기관의 실내온도는 26도입니다. 덥지 않겠습니까? 참을 수 있겠습니까?

6. 우체국의 향후 발전 방향이 무엇이라고 생각합니까?

7. 본인의 이름을 한자로 써 보십시오.

2011년 여수우체국 상시계약 집배원(무기계약직) 면접 기출질문

1. 식사는 하고 왔습니까?

2. 본인의 성격에서 단점은 무엇이라고 생각합니까?

3. 이 한자성어를 큰소리로 읽어 보십시오.

   磨斧作針(마부작침)

4. 우체국에서 근무를 하게 되면 무거운 것을 들어야 합니다. 본인 체력이 가능하다고 생각합니까?

5. 가장 존경하는 인물은 누구입니까?

6. 우리나라 최초의 우표와 우리나라 우편업무의 게시일에 대해서 말해보십시오.

7. 집배원 관련 공부는 얼마나 했습니까?

8. 평소 스트레스는 어떻게 풉니까?

9. 요즘 사람들은 주말에는 반드시 쉬어야 한다고 생각하는데 본인생각은 어떻습니까?

10. 최근에 우체국을 방문한 경험이 있습니까?

11. 본인의 강점이 무엇인지 말해보십시오.

12. 우체국 택배를 이용해 본 적이 있습니까? 일반 택배에 비해 좋은 점이 무엇입니까?

13. 우편물을 분류하는데 규정 초과의 물품이 발견되었다면 어떻게 하겠습니까?

14. 우체국이 개선해야 할 점이 있다면 무엇이라고 생각합니까?

15. 본인의 종교는 무엇입니까?

16. 마지막으로 하고 싶은 말이 있습니까?

2010년 아산우체국 상시계약 집배원(무기계약직) 면접 기출질문

1. 간단한 자기소개와 함께 자신의 장점을 1분간 말해보십시오.
2. 전 직장에서 퇴직을 한 이유가 무엇입니까?
3. 우체국에서 아르바이트를 해 본 경험이 있습니까?
4. 힘든 일을 겪을 때는 어떻게 헤쳐나갑니까?
5. 최근에 봉사활동을 한 경험이 있습니까?
6. 면접을 보느라 고생하셨습니다. 면접 볼 때 긴장을 많이 했습니까?

2010년 전북지방우정청 계리직 공무원, 집배원 면접 기출질문

1. 우체국의 업무에 대해 아는 대로 말해보십시오.
2. 행정직 공무원과 계리직 공무원의 차이에 대해 말해보십시오.
3. 계리직 공무원에 대해 설명해보십시오.
4. 생명보험과 손해보험의 차이에 대해 말해보십시오.
5. 우체국에서 잘 보험을 팔기 위해서는 마케팅이 제일 중요합니다. 마케팅을 잘 하기 위한 방법에는 무엇이 있는지 말해보십시오.
6. 왜 행정직 공무원이 아닌 계리직 공무원에 지원한 것입니까?
7. 고객을 대할 때 가장 중요한 것은 무엇이라고 생각합니까?
8. 공무원의 4대 의무가 무엇입니까?

9. 공무원 비리에 대해서 어떻게 생각합니까? 공무원 비리 척결 방법으로 무엇이 있다고 생각합니까?

10. 우리나라에서 우편이 시작된 시기가 언제입니까?

11. 우리나라 최초의 우표는 언제 발행되었습니까?

12. 4대강 사업에 대해 아는 대로 설명해보십시오.

2010년 북대구우체국 상시계약 집배원 면접 기출질문

1. 자기소개를 간단히 해보십시오.

2. 우체국 업무를 하는데 있어서 작용할 본인의 단점에 대해 말해보십시오.

3. 우체국에서 취급하는 우편상품에 대해 말해보십시오.

4. 산간지역이나 오지, 도서지역에 수익성이 나지 않는 우체국이 있다면 어떻게 해야 합니까?

5. 국민들을 위한 우편에 대한 혜택을 제공하는 일을 왜 우체국이 해야 한다고 생각합니까?

6. 업무를 하다가 상사와 의견 충돌이 발생한다면 어떻게 할 것입니까?

7. 집배원은 국민에게 어떤 존재라고 생각합니까?

2010년 충청지방우정청 계리직 공무원, 집배원 면접 기출질문

1. 오늘 면접을 준비하기 위해 어떠한 연습이나 대비를 한 것이 있습니까?

2. 15분 동안 자신에 대해서 우리에게 말을 해야 하는데 자신이 있습니까?

3. 지금까지 직장경험은 몇 년이나 됩니까?

4. 까다로운 고객을 만나게 된다면 어떤 식으로 대처를 하겠습니까?

5. 우체국의 목표가 무엇인지 알고 있습니까?

6. 고객감동이란 것은 보이지 않는 법인데 이를 완벽하게 이루기 위한 방법은 무엇이 있는지 말해보십시오.

7. 우체국의 업무에 대해 아는 대로 설명해보십시오.

8. 봉사활동을 한 경험이 있습니까? 있다면 어디로 몇 명이서 갔습니까?

9. 우체국 분위기를 활기차게 만들 방법에 대해 말해보십시오.

10. 화가 난 고객이 우체국으로 찾아와 무조건 상사를 부르라며 우체국의 업무를 마비시킨다면 당신은 어떻게 대처하겠습니까?

11. 자신의 경험 중 우체국 업무에 도움이 될 만한 것이 있다면 무엇이 있다고 생각합니까?

2010년 서울노원우체국 상시계약 집배원 면접 기출질문

1. 현재 많이 떨리십니까?
2. 전혀 긴장하지 않은 것 같은데 지금 심정이 어떻습니까?
3. 왜 잘 나가는 직장을 그만 두고 집배원이 되려고 합니까?
4. 상사가 부당한 지시를 한다면 어떻게 하겠습니까?
5. 본인은 건강한 편이라고 생각합니까?
6. 평소 건강관리는 어떻게 합니까?
7. 집배원에 지원하게 된 동기는 무엇입니까?
8. 집배원의 업무가 무엇이라고 알고 있습니까?

2010년 목포우체국 상시계약 집배원 면접 기출질문

1. 자기소개를 해보십시오.
2. 본인의 가족소개를 해보십시오.
3. 우체국을 발전시키기 위해 돈이 필요할 경우 어떤 식으로 상사를 설득하겠습니까?
4. 어닝서프라이즈가 무엇인지 설명해보십시오.
5. 우체국에서 퇴직을 할 때까지 일 할 수 있겠습니까?
6. 봉사활동을 한 경험이 있습니까? 있다면 구체적으로 말해보십시오.
7. 한 번도 해 본적이 없는 집배원 업무를 잘 수행할 자신이 있습니까?

8. 트위터에 대해서 아는 대로 설명해보십시오.

9. 우체국에 지원한 동기가 무엇입니까?

10. 집배원에 지원한 동기가 다른 공무원이나 기업체보다 쉬워서 입니까?

11. 본인의 장점과 단점에 대해 말해보십시오.

2010년 경북지방우정청 계리직 공무원, 집배원 면접 기출질문

1. 지금까지 무슨 일을 하였습니까?

2. 집배원의 보수는 다른 직장에 비해 적은 편입니다. 그래도 생활하는데 가능하겠습니까?

3. 현재 사는 곳이 어디입니까?

4. 동료들과 어울리기 위해 억지로 회식에 참여할 수 있습니까?

5. 상사가 부당한 지시를 했을 경우 어떻게 대응하겠습니까?

6. 집배직이 무엇입니까?

7. 고객만족이란 무엇입니까?

8. 오늘 면접을 준비하기 위해 어떠한 준비를 했습니까?

9. 요즘 가장 이슈가 되고 있는 것이 무엇인지 알고 있습니까?

10. 지금까지 살면서 가장 고통스러웠던 일은 무엇이 있었습니까?

2010년 광주우체국 상시계약 집배원 면접 기출질문

1. 직장생활에서 가장 중요하다고 본인이 생각하는 것은 무엇입니까?

2. 상사의 부당한 업무 지시를 받았다면 어떻게 대처할 것입니까?

3. 봉사활동을 한 경험이 있다면 구체적으로 이야기해보십시오.

4. 집배원에 지원한 이유가 무엇입니까?

5. 집배원이 되어 근무를 하게 된다면 15년 뒤의 본인의 모습은 어떨지 이야기해보십시오.

6. 우리가 당신을 뽑아야 하는 이유를 설명해보십시오.

7. 본인은 혁신을 추구하는 사람입니까?

05 면접 대비 실용한자

실용한자 # 면접 대비한자 # 사자성어

CHAPTER

주요단어

郵遞局	우체국
郵遞筒	우체통
郵遞夫	우체부
集配員	집배원
登記	등기
小包	소포
郵票	우표
警察	경찰
市場	시장
學校	학교
先生	선생
水道	수도
電氣	전기
道路	도로
自動車	자동차
自轉車	자전거
住宅	주택
工場	공장
食堂	식당
冊床	책상
倚子	의자
電話	전화
眼鏡	안경
時計	시계
帽子	모자
病院	병원
公園	공원
敎會	교회
聖堂	성당
寺刹	사찰
空航	공항
埠頭	부두
港口	항구

가

苛斂誅求	가렴주구
家徒壁立	가도벽립
家無擔石	가무담석
佳人薄命	가인박명
肝膽相照	간담상조
甘言利說	감언이설
甘呑苦吐	감탄고토
改過遷善	개과천선
去頭截尾	거두절미
居安思危	거안사위
乾坤一擲	건곤일척
見物生心	견물생심
結者解之	결자해지
結草報恩	결초보은
輕擧妄動	경거망동
傾國之美	경국지미
傾國之色	경국지색
敬而遠之	경이원지
桂玉之歎	계옥지탄

孤掌難鳴 ………… 고장난명
苦盡甘來 ………… 고진감래
骨肉相殘 ………… 골육상잔
空中樓閣 ………… 공중누각
過恭非禮 ………… 과공비례
過猶不及 ………… 과유불급
管鮑之交 ………… 관포지교
刮目相對 ………… 괄목상대
矯角殺牛 ………… 교각살우
巧言令色 ………… 교언영색
敎外別傳 ………… 교외별전
交友以信 ………… 교우이신
膠漆之交 ………… 교칠지교
口蜜腹劍 ………… 구밀복검
口尙乳臭 ………… 구상유취
九牛一毛 ………… 구우일모
群鷄一鶴 ………… 군계일학
群盲撫象 ………… 군맹무상
軍雄割據 ………… 군웅할거
勸上搖木 ………… 권상요목
捲土重來 ………… 권토중래
近墨者黑 ………… 근묵자흑
金科玉條 ………… 금과옥조
金蘭之契 ………… 금란지계
錦上添花 ………… 금상첨화
金石之交 ………… 금석지교
錦衣夜行 ………… 금의야행
錦衣還鄕 ………… 금의환향
金枝玉葉 ………… 금지옥엽

나

難兄難弟 ………… 난형난제
南柯一夢 ………… 남가일몽
男負女戴 ………… 남부여대
內憂外患 ………… 내우외환
累卵之危 ………… 누란지위

다

多多益善 ………… 다다익선
斷金之交 ………… 단금지교
斷機之戒 ………… 단기지계
斷機之交 ………… 단기지교
單刀直入 ………… 단도직입
大器晩成 ………… 대기만성
戴盆望天 ………… 대분망천
塗炭之苦 ………… 도탄지고
道聽塗說 ………… 도청도설
東問西答 ………… 동문서답
獨不將軍 ………… 독불장군
同病相憐 ………… 동병상련
同床異夢 ………… 동상이몽
登高自卑 ………… 등고자비
登樓去梯 ………… 등루거제
燈下不明 ………… 등하불명
燈火可親 ………… 등화가친

마

馬耳東風 ………… 마이동풍
莫上莫下 ………… 막상막하
莫逆之友 ………… 막역지우
萬古風霜 ………… 만고풍상

晩時之歎 ············ 만시지탄
亡羊補牢 ············ 망양보뢰
麥秀之嘆 ············ 맥수지탄
孟母斷機 ············ 맹모단기
盲者丹靑 ············ 맹자단청
面從腹背 ············ 면종복배
面從後言 ············ 면종후언
明鏡止水 ············ 명경지수
明若觀火 ············ 명약관화
命在頃刻 ············ 명재경각
目不識丁 ············ 목불식정
目不忍見 ············ 목불인견
刎頸之交 ············ 문경지교
聞一知十 ············ 문일지십
門前成市 ············ 문전성시
美辭麗句 ············ 미사여구

바

傍若無人 ············ 방약무인
背恩忘德 ············ 배은망덕
白骨難忘 ············ 백골난망
百年河淸 ············ 백년하청
白面書生 ············ 백면서생
百戰老將 ············ 백전노장
伯仲之間 ············ 백중지간
百尺竿頭 ············ 백척간두
父傳子傳 ············ 부전자전
夫唱婦隨 ············ 부창부수
附和雷同 ············ 부화뇌동
粉骨碎身 ············ 분골쇄신
不立文字 ············ 불립문자
不問可知 ············ 불문가지
不問曲直 ············ 불문곡직
不遠千里 ············ 불원천리
朋友有信 ············ 붕우유신
貧賤之交 ············ 빈천지교

사

四面楚歌 ············ 사면초가
四通八達 ············ 사통팔달
事必歸正 ············ 사필귀정
山紫水明 ············ 산자수명
山戰水戰 ············ 산전수전
殺身成仁 ············ 살신성인
三顧草廬 ············ 삼고초려
三省吾身 ············ 삼성오신
三旬九食 ············ 삼순구식
上山求魚 ············ 상산구어
桑田碧海 ············ 상전벽해
塞翁之馬 ············ 새옹지마
先見之明 ············ 선견지명
雪上加霜 ············ 설상가상
束手無策 ············ 속수무책
送舊迎新 ············ 송구영신
袖手傍觀 ············ 수수방관
水魚之交 ············ 수어지교
誰怨誰咎 ············ 수원수구
脣亡齒寒 ············ 순망치한
識者憂患 ············ 식자우환
信賞必罰 ············ 신상필벌
身言書判 ············ 신언서판
心心相印 ············ 심심상인
十伐之木 ············ 십벌지목
十日之菊 ············ 십일지국

아

我田引水 ······ 아전인수
安貧樂道 ······ 안빈낙도
弱肉强食 ······ 약육강식
羊頭狗肉 ······ 양두구육
梁上君子 ······ 양상군자
養虎遺患 ······ 양호유환
魚魯不辨 ······ 어로불변
漁父之利 ······ 어부지리
言語道斷 ······ 언어도단
言中有骨 ······ 언중유골
與民同樂 ······ 여민동락
女必從夫 ······ 여필종부
易地思之 ······ 역지사지
緣木求魚 ······ 연목구어
拈華微笑 ······ 염화미소
拈華示衆 ······ 염화시중
五里霧中 ······ 오리무중
吾不關焉 ······ 오불관언
吾鼻三尺 ······ 오비삼척
烏飛梨落 ······ 오비이락
吳越同舟 ······ 오월동주
烏合之卒 ······ 오합지졸
臥薪嘗膽 ······ 와신상담
外柔內剛 ······ 외유내강
龍頭蛇尾 ······ 용두사미
用錢如水 ······ 용전여수
牛耳讀經 ······ 우이독경
雨後竹筍 ······ 우후죽순
雨後送傘 ······ 우후송산
遠交近攻 ······ 원교근공
月態花容 ······ 월태화용
危機一髮 ······ 위기일발
有口無言 ······ 유구무언
類萬不同 ······ 유만부동
類類相從 ······ 유유상종
有終之美 ······ 유종지미
陸地行船 ······ 육지행선
以卵投石 ······ 이란투석
以心傳心 ······ 이심전심
人面獸心 ······ 인면수심
人山人海 ······ 인산인해
一網打盡 ······ 일망타진
一字無識 ······ 일자무식
一瀉千里 ······ 일사천리
一石二鳥 ······ 일석이조
一魚濁水 ······ 일어탁수
臨機應變 ······ 임기응변

자

自家撞着 ······ 자가당착
自繩自縛 ······ 자승자박
自業自得 ······ 자업자득
自中之亂 ······ 자중지란
自初至終 ······ 자초지종
自暴自棄 ······ 자포자기
作心三日 ······ 작심삼일
賊反荷杖 ······ 적반하장
赤手空拳 ······ 적수공권
電光石火 ······ 전광석화
輾轉反側 ······ 전전반측
轉禍爲福 ······ 전화위복
切齒腐心 ······ 절치부심
頂門一鍼 ······ 정문일침
井底之蛙 ······ 정저지와
井中觀天 ······ 정중관천
糟糠之妻 ······ 조강지처
朝令暮改 ······ 조령모개

朝飯夕粥 ········· 조반석죽
朝三暮四 ········· 조삼모사
坐井觀天 ········· 좌정관천
走馬加鞭 ········· 주마가편
走馬看山 ········· 주마간산
酒池肉林 ········· 주지육림
竹馬故友 ········· 죽마고우
竹馬舊誼 ········· 죽마구의
竹馬知友 ········· 죽마지우
衆口難防 ········· 중구난방
指天射魚 ········· 지천사어
進退維谷 ········· 진퇴유곡

차

借虎威狐 ········· 차호위호
滄海一粟 ········· 창해일속
千年一清 ········· 천년일청
千慮一失 ········· 천려일실
千載一遇 ········· 천재일우
徹天之寃 ········· 철천지원
聽而不聞 ········· 청이불문
蔥竹之交 ········· 총죽지교
春秋筆法 ········· 춘추필법
出嫁外人 ········· 출가외인
醉生夢死 ········· 취생몽사
七縱七擒 ········· 칠종칠금

타

他山之石 ········· 타산지석
泰然自若 ········· 태연자약
兎死狐悲 ········· 토사호비
通管窺天 ········· 통관규천

파

破竹之勢 ········· 파죽지세
敗家亡身 ········· 패가망신
炮烙之刑 ········· 포락지형
表裏不同 ········· 표리부동

하

鶴首苦待 ········· 학수고대
漢江投石 ········· 한강투석
邯鄲之夢 ········· 한단지몽
咸興差使 ········· 함흥차사
狐假虎威 ········· 호가호위
糊口之策 ········· 호구지책
胡蝶之夢 ········· 호접지몽
好事多魔 ········· 호사다마
虎視耽耽 ········· 호시탐탐
惑世誣民 ········· 혹세무민
紅爐點雪 ········· 홍로점설
畵龍點睛 ········· 화룡점정
畵巳添足 ········· 화사첨족
畵中之餠 ········· 화중지병
換骨奪胎 ········· 환골탈태
膾炙人口 ········· 회자인구
會者定離 ········· 회자정리
後生可畏 ········· 후생가외
興盡悲來 ········· 흥진비래

06 면접 대비 영어표현

CHAPTER

집배원 # 면접 대비 # 영어표현

acknowledgement of receipt stamp : 배달증명 우표
aerogramme(=air letter) : 항공 서간
air accident cover(=wreck cover) : 항공 사고우편물커버
air mail : 항공 우편
broken : 깨어진, 불량의
bulk mail : 제3종 우편물 대량 발송
business day : 영업일
cash on delivery : 착불
censored mail : 검열우편
certified delivery : 발송 확인 우편
claim : 지환우편물 중 되돌아 온 우편물
contents certified mail : 내용증명우편
collect on delivery mail : 대금상환우편(대금교환우편)
date : 날짜
envelope : 봉함, 봉투
entire : 실체봉투(내용물이 들어 있는 상태)
entire cut : 봉투에서 떼어 낸 상태
express mail : 특급 우편
first class mail(=regular mail) : 보통 우편
flaw : 흠집, 결점
foreign : 외국
fragile : 깨지기 쉬운
gone away : 이사
indicium : 요금별납 우편물의 증인(證印)
insufficient : 주소 불명
insured mail : 보험 우편
invalidated : 무효
mail sorting centers : 우편물 집중 처리국
on time : 제 시간에
overnight delivery : 익일 배송
paid reply postal card : 요금 납부 왕복엽서
parcel(=package) : 택배
passenger mail(=sea mail) : 선편 우편
post box : 우편사서함
post card : 엽서(사제)
post office : 우체국
postage : 우편요금
postage stamp : 우표
postal card : 엽서(관제)
price : 가격
recorded delivery : 기록 배달
refused : 수취거절
registered mail : 등기 우편
return postal card(=reply postal card) : 왕복우편엽서
serial number : 일련 번호
ship letter : 선박편지
shipping : 운송, 배송
small packet : 소형 포장물(봉투에 넣을 수 있는 크기)
surface mail : 선박우편
unclaimed : 교부청구 없음
unknown : 수취인 불명
zip code : 우편번호(미국)

1 인사규칙

2 국가공무원법 및 우대요건

3 우편번호 앞 세자리 부여내역

PART 05

부록

01 CHAPTER 인사규칙

#별정우체국직원 인사규칙

01 별정우체국직원 인사규칙 제14조(국장 및 직원의 보수)

직원의 보수표

집배원	집배 6급	우정 6급 국가공무원에게 지급하는 봉급월액 및 각종 수당 상당액
	집배 7급	우정 7급 국가공무원에게 지급하는 봉급월액 및 각종 수당 상당액
	집배 8급	우정 8급 국가공무원에게 지급하는 봉급월액 및 각종 수당 상당액
	집배 9급	우정 9급 국가공무원에게 지급하는 봉급월액 및 각종 수당 상당액

02 별정우체국직원 인사규칙 제4장(복무)

① 성실복무 의무 : 집배원은 신속 · 정확하게 직무를 수행하고, 친절과 성실로써 맡은 바 책임을 완수하여야 한다.

② 근무기강의 확립 : 집배원은 법령과 우정사업본부장, 관할 지방우정청장 또는 국장의 직무상 명령을 준수하며, 품위를 유지하여야 한다.

③ 근무시간 : 공무원의 근무시간을 따른다.

④ 휴직

㉠ 다음의 어느 하나에 해당할 때에는 관할 지방우정청장 또는 국장은 본인의 의사에도 불구하고 휴직을 명하여야 한다.

- 신체상 또는 정신상의 장애로 장기 요양이 필요할 때
- 병역법에 따른 병역복무를 마치기 위하여 징집되거나 소집되었을 때
- 천재지변, 전시 · 사변 또는 그 밖의 사유로 생사 또는 소재가 불명확하게 되었을 때
- 그 밖에 법률의 규정에 따른 의무를 이행하기 위하여 직무를 이탈하게 되었을 때

㉡ 다음의 어느 하나에 해당하는 사유로 휴직을 원하는 경우에는 국장이 휴직을 명할 수 있다.

- 만 8세 이하의 자녀(취학 중인 경우에는 나이에 관계없이 초등학교 2학년 이하의 자녀)를 양육하기 위하여 필요하거나, 여자직원이 임신 또는 출산하게 되었을 때
- 사고 또는 질병 등으로 장기간 요양이 필요한 부모, 배우자, 자녀 또는 배우자의 부모를 간호하기 위하여 필요할 때

㉢ 휴직기간

- 신체상 또는 정신상의 장애로 장기 요양이 필요할 경우 : 1년
- 병역법에 따른 징집, 소집, 법률의 규정에 따른 의무를 이행하기 위해 직무를 이탈하게 되었을 경우 : 복무기간이 끝날 때까지
- 천재지변, 또는 그 밖의 사유로 생사 또는 소재가 불명확하게 되었을 경우 : 3개월 이내
- 자녀의 양육이나 임신, 출산의 경우 : 자녀 1명에 대해 3년 이내
- 사고 또는 질병 등으로 장기간 요양이 필요한 부모, 배우자, 자녀, 배우자의 부모를 간호하기 위하여 필요할 경우 : 1년 이내, 재직기간 중 총 3년을 초과하면 안 됨

⑤ 휴직의 효력

㉠ 휴직 중인 집배원은 신분은 보유하나 직무에 종사하지 못한다.

㉡ 휴직기간 중 그 사유가 없어지면 30일 이내에 국장에게 신고하고 복직을 명받아야 한다.

㉢ 휴직기간이 끝난 집배원이 30일 이내에 복귀 신고를 하면 당연히 복직된다.

⑥ 휴직기간 중의 보수

㉠ 신체상 또는 정신상의 장애로 장기요양을 위하여 휴직한 경우, 휴직 기간이 1년 이하인 경우에는 봉급의 70%를, 휴직 기간이 1년 초과 2년 이하인 경우에는 봉급의 50%를 지급한다. 다만, 「산업재해보상보험법」 제37조에 따른 업무상 재해로 인하여 휴직한 경우에는 그 기간 중 봉급 전액을 지급한다.

㉡ 위에 규정하지 아니한 휴직의 경우에는 그 기간 중 보수를 지급하지 않는다.

※ 「산업재해보상보험법」 제37조(업무상의 재해의 인정 기준)

① 근로자가 다음의 어느 하나에 해당하는 사유로 부상 · 질병 또는 장해가 발생하거나 사망하면 업무상의 재해로 본다. 다만, 업무와 재해 사이에 상당인과관계가 없는 경우에는 그러하지 아니하다.

1. 업무상 사고
   가. 근로자가 근로계약에 따른 업무나 그에 따르는 행위를 하던 중 발생한 사고
   나. 사업주가 제공한 시설물 등을 이용하던 중 그 시설물 등의 결함이나 관리소홀로 발생한 사고
   다. 삭제 〈2017.10.24〉
   라. 사업주가 주관하거나 사업주의 지시에 따라 참여한 행사나 행사준비 중에 발생한 사고
   마. 휴게시간 중 사업주의 지배관리하에 있다고 볼 수 있는 행위로 발생한 사고
   바. 그 밖에 업무와 관련하여 발생한 사고
2. 업무상 질병
   가. 업무수행 과정에서 물리적 인자(因子), 화학물질, 분진, 병원체, 신체에 부담을 주는 업무 등 근로자의 건강에 장해를 일으킬 수 있는 요인을 취급하거나 그에 노출되어 발생한 질병
   나. 업무상 부상이 원인이 되어 발생한 질병
   다. 「근로기준법」 제76조의2에 따른 직장 내 괴롭힘, 고객의 폭언 등으로 인한 업무상 정신적 스트레스가 원인이 되어 발생한 질병
   라. 그 밖에 업무와 관련하여 발생한 질병
3. 출퇴근 재해
   가. 사업주가 제공한 교통수단이나 그에 준하는 교통수단을 이용하는 등 사업주의 지배관리하에서 출퇴근하는 중 발생한 사고
   나. 그 밖에 통상적인 경로와 방법으로 출퇴근하는 중 발생한 사고

② 근로자의 고의 · 자해행위나 범죄행위 또는 그것이 원인이 되어 발생한 부상 · 질병 · 장해 또는 사망은 업무상의 재해로 보지 아니한다. 다만, 그 부상 · 질병 · 장해 또는 사망이 정상적인 인식능력 등이 뚜렷하게 저하된 상태에서 한 행위로 발생한 경우로서 대통령령으로 정하는 사유가 있으면 업무상의 재해로 본다.

③ ①의 제3호 나목의 사고 중에서 출퇴근 경로 일탈 또는 중단이 있는 경우에는 해당 일탈 또는 중단 중의 사고 및 그 후의 이동 중의 사고에 대하여는 출퇴근 재해로 보지 아니한다. 다만, 일탈 또는 중단이 일상생활에 필요한 행위로서 대통령령으로 정하는 사유가 있는 경우에는 출퇴근 재해로 본다.

④ 출퇴근 경로와 방법이 일정하지 아니한 직종으로 대통령령으로 정하는 경우에는 ①의 제3호 나목에 따른 출퇴근 재해를 적용하지 아니한다.

⑤ 업무상의 재해의 구체적인 인정 기준은 대통령령으로 정한다.

⑦ **직위의 해제**

㉠ 다음의 어느 하나에 대하여 총괄우체국장은 직원에 대하여 직위를 부여하지 아니할 수 있다.

- 직무수행 능력이 부족하거나 근무성적이 매우 나쁜 사람
- 파면 · 해임 · 강등 또는 정직에 해당하는 징계의결이 요구 중인 사람
- 형사사건으로 기소된 사람(약식명령이 청구된 사람은 제외)

㉡ 직위를 부여하지 아니한 경우 그 사유가 없어지면 관할 지방우정청장 또는 총괄우체국장은 지체 없이 직위를 부여하여야 한다.

㉢ 관할 지방우정청장 또는 총괄우체국장은 직위해제된 사람에게 3개월의 범위에서 대기를 명한다.

㉣ 관할 지방우정청장 또는 총괄우체국장은 대기명령을 받은 사람에게 능력 회복이나 근무성적 향상을 위한 교육훈련 또는 특별한 연구과제 부여 등 필요한 조치를 하여야 한다.

⑧ **휴가의 종류** : 연가, 병가, 공가, 특별휴가로 구분한다.

⑨ **연가 일수**

㉠ 재직기간별 연가 일수

재직기간	연가 일수
1개월 이상 1년 미만	11일
1년 이상 2년 미만	12일
2년 이상 3년 미만	14일
3년 이상 4년 미만	15일
4년 이상 5년 미만	17일
5년 이상 6년 미만	20일
6년 이상	21일

㉡ 재직기간에는 휴직기간, 정직기간, 직위해제기간 및 강등처분에 따라 직무에 종사하지 못하는 기간은 산입하지 아니한다. 그러나 다음에 해당하는 휴직의 경우에는 그 휴직기간을 재직기간에 산입한다.

- 만 8세 이하의 자녀(취학 중인 경우에는 나이에 관계없이 초등학교 2학년 이하의 자녀)를 양육하기 위하여 필요하거나, 여자직원(국장을 포함한다)이 임신 또는 출산하게 되었을 경우에 따른 휴직(자녀 1명에 대한 총 휴직기간이 1년을 넘는 경우에는 최초의 1년으로 하며, 셋째 자녀부터는 총 휴직기간이 1년을 넘는 경우에는 그 휴직기간 전부로 한다)
- 법령에 따른 의무수행으로 인한 휴직
- 「산업재해보상보험법」에 따른 업무상 재해로 인한 휴직

㉢ 해당 연도에 결근, 휴직, 정직, 강등 및 직위해제 사실이 없는 집배원으로 다음의 어느 하나에 해당하는 사람에 대해서는 다음 해에 한정하여 재직기간별 연가 일수에 각각 1일을 더한다.

- 병가를 받지 아니한 국장 또는 직원
- 연가보상비를 받지 못한 연가 일수가 남아 있는 직원

⑩ 연가계획 및 승인

㉠ 총괄우체국장 또는 국장은 국장 또는 직원이 자유롭게 연가를 사용하여 심신을 새롭게 하고 공·사(公·私) 생활의 만족도를 높여 직무 생산성을 높일 수 있도록 특정한 계절에 치우치지 않게 연가계획을 수립하여 실시해야 한다.

㉡ 연가는 오전 또는 오후의 반일 단위로 허가할 수 있으며, 반일 연가 2회는 연가 1일로 계산한다.

㉢ 총괄우체국장, 국장은 연가 신청을 받았을 경우 공무 수행에 특별한 지장이 없으면 승인한다.

㉣ 공무상 연가를 승인할 수 없거나 연가를 활용하지 아니한 경우에는 예산의 범위에서 연가 일수에 해당하는 연가보상비를 지급하는 것으로 연가를 갈음할 수 있다. 이 경우 연가보상비를 지급할 수 있는 연가 대상 일수는 20일을 초과할 수 없다(국가공무원 복무규정 제11조 제4항에 따라 전환된 연가는 제외).

㉤ 총괄우체국장 또는 국장은 국장 또는 직원에게 해당 연도의 남은 연가 일수를 초과하는 휴가 사유가 발생한 경우에는 제27조 제1항에 따른 재직기간 구분 중 그 다음 재직기간의 연가 일수를 다음 표에 따라 미리 사용하게 할 수 있다.

재직기간	미리 사용하게 할 수 있는 최대 연가
1년 미만	5
1년 이상 2년 미만	6
2년 이상 3년 미만	7
3년 이상 4년 미만	8
4년 이상	10

⑪ 연가 사용의 권장

㉠ 총괄우체국장 또는 국장은 국장 또는 직원의 연가 사용을 촉진하기 위하여 매년 3월 31일까지 국장 또는 직원이 그 해에 최소한으로 사용하여야 할 권장 연가 일수를 10일 이상으로 정하여 공지하여야 한다. 다만, 총괄우체국장 또는 국장은 업무수행을 위하여 불가피한 경우에는 권장 연가 일수를 정하지 아니할 수 있다.

㉡ 연가 사용 촉진에 특히 필요하다고 인정하면 제1항에 따른 권장 연가 일수 중 미사용 연가 일수에 대해서는 제27조의2 제5항에 따른 연가보상비를 지급하지 아니할 수 있다.

㉢ 총괄우체국장 또는 국장은 연가 사용 촉진에 특히 필요하다고 인정하는 경우에는 ㉠에 따른 권장 연가일수(연가보상비를 지급하지 않는 경우로 한정한다)를 제외한 연가 일수의 전부 또는 일부에 대하여 다음의 조치를 할 수 있다.

- 매년 7월 1일부터 15일 이내에 총괄우체국장 또는 국장이 국장 또는 직원별로 사용해야 할 연가 일수를 알려주고, 국장 또는 직원이 그 사용 시기를 정하여 10일 이내에 총괄우체국장 또는 국장에게 통보

• 국장 또는 직원이 촉구에도 불구하고 총괄우체국장 또는 국장에게 연가의 사용 시기를 통보하지 않으면 총괄우체국장 또는 국장은 그해 9월 30일까지 제1호에 따라 알려준 연가 중 사용하지 않은 연가의 사용 시기를 정하여 국장 또는 직원에게 통보

㉣ 연가 사용의 권장 조치를 하였음에도 불구하고 국장 또는 직원이 해당 연가를 사용하지 않은 경우에는 그에 해당하는 연가보상비를 지급하지 않을 수 있다.

⑫ 연가의 저축

㉠ 국장 또는 직원은 사용하지 아니하고 남은 연가 일수를 그 해의 마지막 날을 기준으로 이월 · 저축하여 사용할 수 있다.

㉡ 이월 · 저축한 연가 일수는 이월 · 저축한 다음 연도부터 10년 이내에 사용하지 않으면 소멸된다.

㉢ 소멸된 저축연가에 대해서는 「국가공무원 복무규정」에 따른 사유를 제외하고는 연가보상비를 지급하지 아니한다.

㉣ 규정한 사항 외에 연가의 저축 및 사용 절차 등에 관하여 필요한 사항은 「국가공무원법」에 따른 일반직공무원의 예에 따른다.

⑬ 10일 이상 연속된 연가 사용의 보장

㉠ 연가 일수 또는 저축연가 일수를 활용하여 충분한 휴식, 가족화합 또는 자기계발 등을 위하여 3개월 이전에 10일 이상 연속된 연가 일수 사용을 신청한 경우에는 업무수행에 특별한 지장이 없으면 이를 승인하여야 한다. 이 경우 연가 사용에 따른 업무대행자 지정, 인력 보충 등 원활한 업무수행과 자유로운 연가 사용 보장에 필요한 조치를 하여야 한다.

㉡ 규정한 사항 외에 10일 이상 연속된 연가 사용에 필요한 사항은 일반직공무원의 예에 따른다.

⑭ 연가 일수에서의 공제

㉠ 결근 일수, 정직 일수, 직위해제 일수 및 강등처분에 따라 직무에 종사하지 못하는 일수는 연가 일수에서 뺀다. 다만, 직위해제기간 중 국장 또는 직원에 대한 징계의결 요구에 대하여 관할 징계위원회가 징계하지 않기로 의결한 경우 등의 직위해제 일수는 연가 일수에서 빼지 않으며, 연가 일수에서 빼지 않는 직위해제 일수에 관하여는 「국가공무원 복무규정」 제17조 제1항 단서를 준용한다.

㉡ 연도 중 임용 또는 채용되거나 휴직 또는 퇴직하는 등의 사유로 사실상 직무에 종사하지 않은 기간이 있는 경우의 연가 일수는 다음의 계산식에 따라 산정한다. 이 경우 해당 연도 중 사실상 직무에 종사한 기간은 개월 수로 환산하여 계산하되, 15일 이상은 1개월로 계산하고, 15일 미만은 산입하지 않으며, 계산식에 따라 산출된 소수점 이하의 일수는 반올림한다.

$$\frac{\text{해당 연도 중 사실상 직무에 종사한 기간(개월)} \times \text{해당 연도 연가일수}}{\text{12(개월)}}$$

㉢ ㉡에 따른 사실상 직무에 종사하지 않은 기간이 있는 국장 또는 직원이 제2항의 계산식에 따른 연가 일수(저축연가 일수를 포함)를 초과하여 사용한 연가 일수(사실상 직무에 종사하지 않은 기간이 있고 해당 연도에 복직하지 않은 경우에는 미리 사용한 연가 일수를 포함)는 결근으로 본다.

㉣ 사실상 직무에 종사하지 않은 기간에 대해서는 일반직공무원의 예에 따른다.

㉤ 질병이나 부상 외의 사유로 인한 지각·조퇴 및 외출은 누계 8시간을 연가 1일로 계산한다.

㉥ 병가 중 연간 6일을 초과하는 병가 일수는 연가 일수에서 뺀다. 다만, 의사의 진단서가 첨부된 병가 일수는 연가 일수에서 빼지 아니한다.

⑮ **병가**

㉠ 다음의 어느 하나에 해당할 경우에는 연 60일의 범위에서, 「산업재해보상보험법」 제37조에 따른 업무상 재해로 직무를 수행할 수 없거나 요양이 필요한 경우에는 연 180일의 범위에서 국장의 경우에는 총괄우체국장이, 직원의 경우에는 국장이 병가를 허가할 수 있다. 병가일수를 계산함에 있어서 질병이나 부상으로 인한 지각·조퇴 및 외출이 있는 경우에는 그 누계 8시간을 병가 1일로 계산하고, 연가일수에서 빼는 병가는 병가일수에 산입하지 아니한다.

- 질병 또는 부상으로 인하여 직무를 수행할 수 없을 때
- 감염병에 걸려 그 직원의 출근이 다른 직원의 건강에 영향을 미칠 우려가 있을 때

㉡ 병가 일수가 연간 6일을 초과하는 경우에는 의사의 진단서를 제출하여야 한다.

⑯ **공가** : 다음의 어느 하나에 해당될 때에는 그에 필요한 기간의 공가를 국장이 허가할 수 있다.

㉠ 병역법이나 그 밖의 다른 법령에서 징병검사·소집·검열점호 등에 응하거나 동원 또는 훈련에 참가할 때

㉡ 공무와 관련하여 국회, 법원, 검찰 또는 그 밖의 국가기관에 소환되었을 때

㉢ 법률에 따라 투표에 참가할 때

㉣ 천재지변, 교통 차단 또는 그 밖의 사유로 출근이 불가능할 때

㉤ 「산업안전보건법」에 따른 건강진단, 「국민건강보험법」에 따른 건강검진을 받을 때

㉥ 혈액관리법에 따라 헌혈에 참가할 때

㉦ 올림픽, 전국체전 등 국가적인 행사에 참가할 때

㉧ 공무 국외 출장을 위하여 검역법에 따른 오염지역 또는 오염 인근지역으로 가기 전에 검역감염병의 예방접종을 할 때

⑰ **특별휴가**

㉠ 본인이 결혼하거나 그 밖의 경조사가 있는 경우에는 다음과 같은 기준의 경조사휴가를 받을 수 있다.

구분	대상	일수
결혼	본인	5
	자녀	1
출산	배우자	10
입양	본인	20
사망	배우자, 본인 및 배우자의 부모	5
	본인 및 배우자의 조부모 · 외조부모	3
	자녀와 그 자녀의 배우자	3
	본인 및 배우자의 형제자매	1

㉡ 총괄우체국장 또는 국장은 임신 중인 국장 또는 직원에게 출산 전과 출산 후를 통하여 90일(한 번에 둘 이상의 자녀를 임신한 경우에는 120일)의 출산휴가를 승인하되, 출산 후의 휴가기간이 45일(한 번에 둘 이상의 자녀를 임신한 경우에는 60일) 이상이 되게 해야 한다. 다만, 총괄우체국장 또는 국장은 임신 중인 국장 또는 직원이 다음의 어느 하나에 해당하는 사유로 출산휴가를 신청하는 경우에는 출산 전 어느 때라도 최장 44일(한 번에 둘 이상의 자녀를 임신한 경우에는 59일)의 범위에서 출산휴가를 나누어 사용할 수 있도록 해야 한다.

- 임신 중인 국장 또는 직원이 유산(「모자보건법」 제14조 제1항에 따라 허용되는 경우 외의 인공임신중절에 의한 유산은 제외한다. 이하 제3호를 제외하고 같다) · 사산의 경험이 있는 경우
- 임신 중인 국장 또는 직원이 출산휴가를 신청할 당시 연령이 만 40세 이상인 경우
- 임신 중인 국장 또는 직원이 유산 · 사산의 위험이 있다는 의료기관의 진단서를 제출한 경우

㉢ 여성인 국장 또는 직원은 생리기간 중 휴식과 임신한 경우의 검진을 위하여 매월 1일의 여성보건휴가를 받을 수 있다. 다만, 생리기간 중 휴식을 위한 여성보건휴가는 무급으로 한다.

㉣ 임신 중인 국장 또는 직원은 1일 2시간의 범위에서 휴식이나 병원 진료 등을 위한 모성보호시간을 받을 수 있다. 이 경우 모성보호시간의 사용 기준 및 절차 등에 관하여 필요한 사항은 일반직공무원의 예에 따른다.

㉤ 5세 이하의 자녀가 있는 국장 또는 직원은 자녀를 돌보기 위하여 24개월의 범위에서 1일 최대 2시간의 육아시간을 받을 수 있다. 이 경우 육아시간의 사용 기준 및 절차 등에 관하여 필요한 사항은 일반직공무원의 예에 따른다.

㉥ 한국방송통신대학교에 재학 중인 국장 또는 직원은 한국방송통신대학교 설치령에 따른 출석수업에 참석하기 위하여 연가 일수를 초과하는 출석수업시간에 대한 수업휴가를 받을 수 있다.

ⓢ 「재난 및 안전관리 기본법」 제3조 제1호의 재난으로 피해[배우자, 부모(배우자의 부모를 포함한다) 또는 자녀가 입은 피해를 포함한다. 이하 이 항에서 같다]를 입은 국장 또는 직원과 재난 발생 지역에서 자원봉사활동을 하려는 국장 또는 직원은 5일(같은 법 제14조 제1항에 따른 대규모 재난으로 피해를 입은 국장 또는 직원으로서 장기간 피해 수습이 필요하다고 관할 지방우정청장이 인정하는 경우에는 10일) 이내의 재해구호휴가를 받을 수 있다.

ⓞ 임신 중인 국장 또는 직원이 유산하거나 사산한 경우 그 직원이 신청하면 다음에 따라 유산휴가 또는 사산휴가를 주어야 한다.

- **임신기간이 15주 이내인 경우** : 유산하거나 사산한 날부터 10일까지
- **임신기간이 16주 이상 21주 이내인 경우** : 유산하거나 사산한 날부터 30일까지
- **임신기간이 22주 이상 27주 이내인 경우** : 유산하거나 사산한 날부터 60일까지
- **임신기간이 28주 이상인 경우** : 유산하거나 사산한 날부터 90일까지

ⓙ 총괄우체국장 또는 국장은 남성국장 또는 남성직원의 배우자가 유산하거나 사산한 경우 해당 국장 또는 직원이 신청하면 구분에 따른 기간 중 3일의 유산휴가 또는 사산휴가를 주어야 한다.

ⓒ 인공수정 또는 체외수정 등 난임치료 시술을 받는 국장 또는 직원은 시술 당일에 1일의 휴가를 받을 수 있다. 다만, 체외수정 시술의 경우 여성인 국장 또는 직원은 난자 채취일에 1일의 휴가를 추가로 받을 수 있다.

ⓚ 국장 또는 직원은 다음 어느 하나에 해당하는 경우 연간 10일의 범위에서 가족돌봄휴가를 받을 수 있다.

- 「영유아보육법」에 따른 어린이집, 「유아교육법」에 따른 유치원 및 「초 · 중등교육법」 제2조 각 호의 학교(이하 이 항에서 “어린이집 등”이라 한다)의 휴업 · 휴원 · 휴교, 그 밖에 이에 준하는 사유로 자녀 또는 손자녀를 돌봐야 하는 경우
- 자녀 또는 손자녀가 다니는 어린이집 등의 공식 행사 또는 교사와의 상담에 참여하는 경우
- 미성년자 또는 「장애인복지법」 제2조 제2항에 따른 장애인인 자녀 · 손자녀의 병원 진료(「국민건강보험법」 제52조에 따른 건강검진 또는 「감염병의 예방 및 관리에 관한 법률」 제24조 및 제25조에 따른 예방접종을 포함한다)에 동행하는 경우
- 질병, 사고, 노령 등의 사유로 조부모, 외조부모, 부모(배우자의 부모를 포함한다), 배우자, 자녀 또는 손자녀를 돌봐야 하는 경우

ⓣ 가족돌봄휴가는 무급으로 하되, 자녀(같은 항 제4호의 경우에는 미성년자 또는 장애인인 자녀로 한정한다)를 돌보기 위한 가족돌봄휴가는 연간 2일(자녀가 2명 이상이거나 장애인인 경우 또는 해당 국장 또는 직원이 「한부모가족지원법」 제4조 제1호의 모 또는 부에 해당하는 경우에는 3일)까지 유급으로 한다.

ⓟ 여성국장 또는 여성직원은 임신기간 중 검진을 위해 10일의 범위에서 임신검진휴가를 받을 수 있다.

⑱ **휴가기간 중의 토요일 또는 공휴일** : 휴가기간 중의 토요일 또는 공휴일은 그 휴가일수에 산입하지 아니한다. 다만, 휴가 일수가 30일 이상 계속되는 경우에는 그 휴가일수에 토요일 또는 공휴일을 산입한다.

⑲ **휴가기간의 초과** : 이 규칙에서 정한 휴가 일수를 초과한 휴가는 결근으로 한다.

⑳ **복장 및 신분증**

㉠ 직원은 근무 중 그 품위를 유지할 수 있는 단정한 복장을 착용하여야 한다.

㉡ 국장은 직원에게 과학기술정보통신부장관이 정하는 바에 따라 신분증을 발급한다.

㉢ 국장은 직원이 퇴직하거나 사망하였을 때에는 발급한 신분증을 회수하여야 한다.

㉑ **교육훈련**

㉠ 국장 및 직원은 공무자세 확립과 직무수행 능력의 향상을 위하여 우정인재개발원에서 소정의 정신교육 및 직무교육을 받아야 한다.

㉡ 정년이 될 때까지 남은 기간이 1년 이내인 사무원과 집배원은 퇴직 후의 사회적응능력을 배양하기 위하여 우정인재개발원에서 퇴직 준비 관련 교육을 받을 수 있다.

㉒ **집배원의 채용연령** : 18세 이상 ~ 60세 미만

02 국가공무원법 및 우대요건

CHAPTER

#국가공무원법 #우대요건

01 국가공무원법 제33조(결격사유)

① 피성년후견인

② 파산선고를 받고 복권되지 아니한 자

③ 금고 이상의 실형을 선고받고 그 집행이 끝나거나(집행이 끝난 것으로 보는 경우를 포함한다) 집행이 면제된 날부터 5년이 지나지 아니한 자

④ 금고 이상의 형을 선고받고 그 집행유예 기간이 끝난 날부터 2년이 지나지 아니한 자

⑤ 금고 이상의 형의 선고유예를 받은 경우에 그 선고유예 기간 중에 있는 자

⑥ 법원의 판결 또는 다른 법률에 따라 자격이 상실되거나 정지된 자

⑦ 공무원으로 재직기간 중 직무와 관련하여 「형법」 제355조 및 제356조에 규정된 죄를 범한 자로서 300만 원 이상의 벌금형을 선고받고 그 형이 확정된 후 2년이 지나지 아니한 자

⑧ 다음 어느 하나에 해당하는 죄를 범한 사람으로서 100만 원 이상의 벌금형을 선고받고 그 형이 확정된 후 3년이 지나지 아니한 사람

㉠ 「성폭력범죄의 처벌 등에 관한 특례법」 제2조에 따른 성폭력범죄

㉡ 「정보통신망 이용촉진 및 정보보호 등에 관한 법률」 제74조 제1항 제2호 및 제3호에 규정된 죄

㉢ 「스토킹범죄의 처벌 등에 관한 법률」 제2조 제2호에 따른 스토킹범죄

⑨ 미성년자에 대한 다음 어느 하나에 해당하는 죄를 저질러 파면·해임되거나 형 또는 치료감호를 선고받아 그 형 또는 치료감호가 확정된 사람(집행유예를 선고 받은 후 그 집행 유예기간이 경과한 사람을 포함한다.

㉠ 「성폭력범죄의 처벌 등에 관한 특례법」 제2조에 따른 성폭력범죄

㉡ 「아동·청소년의 성보호에 관한 법률」 제2조 제2호에 따른 아동 · 청소년대상 성범죄

⑩ 징계로 파면처분을 받은 때부터 5년이 지나지 아니한 자

⑪ 징계로 해임처분을 받은 때부터 3년이 지나지 아니한 자

02 국가공무원법 제7장(복무)

① **선서** : 공무원은 취임할 때에 소속 기관장 앞에서 대통령령 등으로 정하는 바에 따라 선서(宣誓)하여야 한다. 다만, 불가피한 사유가 있으면 취임 후에 선서하게 할 수 있다. 선서문의 선서는 '나는 대한민국 공무원으로서 헌법과 법령을 준수하고, 국가를 수호하며, 국민에 대한 봉사자로서의 임무를 성실히 수행할 것을 엄숙히 선서합니다.'이다.

② **성실 의무** : 모든 공무원은 법령을 준수하며 성실히 직무를 수행하여야 한다.

③ **복종의 의무** : 공무원은 직무를 수행할 때 소속 상관의 직무상 명령에 복종하여야 한다.

④ **직장 이탈 금지** : 공무원은 소속 상관의 허가 또는 정당한 사유가 없으면 직장을 이탈하지 못한다.

⑤ **친절 · 공정의 의무** : 공무원은 국민 전체의 봉사자로서 친절하고 공정하게 직무를 수행하여야 한다.

⑥ **종교중립의 의무** : 공무원은 종교에 따른 차별 없이 직무를 수행하여야 한다. 공무원은 소속 상관이 종교중립의 의무에 위배되는 직무상 명령을 한 경우에는 이에 따르지 아니할 수 있다.

⑦ **비밀 엄수의 의무** : 공무원은 재직 중은 물론 퇴직 후에도 직무상 알게 된 비밀을 엄수(嚴守)하여야 한다.

⑧ **청렴의 의무** : 공무원은 직무와 관련하여 직접적이든 간접적이든 사례 · 증여 또는 향응을 주거나 받을 수 없다. 공무원은 직무상의 관계가 있든 없든 그 소속 상관에게 증여하거나 소속 공무원으로부터 증여를 받아서는 아니 된다.

⑨ **외국 정부의 영예 등을 받을 경우** : 공무원이 외국 정부로부터 영예나 증여를 받을 경우에는 대통령의 허가를 받아야 한다.

⑩ **품위 유지의 의무** : 공무원은 직무의 내외를 불문하고 그 품위가 손상되는 행위를 하여서는 아니 된다.

⑪ **영리 업무 및 겸직 금지** : 공무원은 공무 외에 영리를 목적으로 하는 업무에 종사하지 못하며 소속 기관장의 허가 없이 다른 직무를 겸할 수 없다.

⑫ **정치 운동의 금지** : 공무원은 정당이나 그 밖의 정치단체의 결성에 관여하거나 이에 가입할 수 없다. 공무원은 선거에서 특정 정당 또는 특정인을 지지 또는 반대하기 위한 투표를 하거나 하지 아니하도록 권유 운동을 하는 것, 서명 운동을 기도(企圖) · 주재(主宰)하거나 권유하는 것, 문서나 도서를 공공시설 등에 게시하거나 게시하게 하는 것, 기부금을 모집 또는 모집하게 하거나, 공공자금을 이용 또는 이용하게 하는 것, 타인에게 정당이나 그 밖의 정치단체에 가입하게 하거나 가입하지 아니하도록 권유 운동을 하는 것을 할 수 없다.

⑬ **집단 행위의 금지** : 공무원은 노동운동이나 그 밖에 공무 외의 일을 위한 집단 행위를 하여서는 아니 된다. 다만, 사실상 노무에 종사하는 공무원은 예외로 한다.

03 국가공무원법 제74조(정년)

① 공무원의 정년은 다른 법률에 특별한 규정이 있는 경우를 제외하고는 60세로 한다.

② 공무원은 그 정년에 이른 날이 1월부터 6월 사이에 있으면 6월 30일에, 7월부터 12월 사이에 있으면 12월 31일에 각각 당연히 퇴직된다.

04 우대요건

① 공통

㉠ 우대요건에 해당하는 경력의 계산, 자격 취득 기준일은 원서접수 마감일을 기준으로 판단함

㉡ 우대요건은 적극적 서류전형에만 반영

② 세부사항

㉠ **관련분야** : 우편물 배달, 수집 또는 택배(민간택배 포함) 업무

㉡ **無음주운전 경력** : 운전경력증명서 상 음주운전 경력이 없는 자(제1종 또는 제2종 보통운전면허 및 제2종 소형면허 또는 원동기장치 자전거 면허 취득 후 음주운전 경력 확인 후 감점)

㉢ **자격증** : 물류관리사, 유통관리사 3급 이상, 자동차정비기능사 이상, (관련분야 정의)우편물 배달, 수집 또는 택배(민간택배 포함)업무

단, 우체국에서 근무한 우체국택배원 · 재택집배원 · 특수지집배원 경력은 우정직(집배) 업무와 유사한 경력으로 50% 만 적용된 환산경력으로 인정함(우정사업본부 소속공무원 인사관리 세칙 기준). 택배업무가 아닌 특정물품의 배송업무, 퀵서비스, 대형마트 주문 · 배송 또는 내근직종의 근무경력은 불인정한다.

03 우편번호 앞 세자리 부여내역

CHAPTER

<table>
<tr><th>지역</th><th>번호</th><th>0</th><th>1</th><th>2</th><th>3</th><th>4</th><th>5</th><th>6</th><th>7</th><th>8</th><th>9</th></tr>
<tr><td rowspan="9">서울</td><td>01</td><td colspan="3">강북구</td><td colspan="3">도봉구</td><td colspan="4">노원구</td></tr>
<tr><td>02</td><td colspan="4">중랑구</td><td colspan="3">동대문구</td><td colspan="3">성북구</td></tr>
<tr><td>03</td><td colspan="3">종로구</td><td colspan="3">은평구</td><td colspan="3">서대문구</td><td>마포구</td></tr>
<tr><td>04</td><td colspan="3">마포구</td><td colspan="2">용산구</td><td colspan="2">중구</td><td colspan="2">성동구</td><td>광진구</td></tr>
<tr><td>05</td><td colspan="2">광진구</td><td colspan="3">강동구</td><td colspan="5">송파구</td></tr>
<tr><td>06</td><td colspan="5">강남구</td><td colspan="4">서초구</td><td>동작구</td></tr>
<tr><td>07</td><td colspan="2">동작구</td><td colspan="3">영등포구</td><td colspan="4">강서구</td><td>양천구</td></tr>
<tr><td>08</td><td colspan="2">양천구</td><td colspan="3">구로구</td><td colspan="2">금천구</td><td colspan="3">관악구</td></tr>
<tr><td>09</td><td colspan="10"></td></tr>
<tr><td rowspan="11">경기</td><td>10</td><td colspan="2">김포시</td><td colspan="6">고양시</td><td colspan="2">파주시</td></tr>
<tr><td>11</td><td>연천군</td><td colspan="2">포천시</td><td>동두천시</td><td colspan="2">양주시</td><td colspan="3">의정부시</td><td>구리시</td></tr>
<tr><td>12</td><td colspan="4">남양주시</td><td>가평군</td><td>양평군</td><td>여주시</td><td colspan="2">광주시</td><td>하남시</td></tr>
<tr><td>13</td><td>하남시</td><td colspan="7">성남시</td><td>과천시</td><td>안양시</td></tr>
<tr><td>14</td><td colspan="2">안양시</td><td colspan="2">광명시</td><td colspan="5">부천시</td><td>시흥시</td></tr>
<tr><td>15</td><td colspan="2">시흥시</td><td colspan="6">안산시</td><td colspan="2">군포시</td></tr>
<tr><td>16</td><td colspan="2">의왕시</td><td colspan="6">수원시</td><td colspan="2">용인시</td></tr>
<tr><td>17</td><td colspan="3">용인시</td><td colspan="2">이천시</td><td colspan="2">안성시</td><td colspan="3">평택시</td></tr>
<tr><td>18</td><td>평택시</td><td>오산시</td><td colspan="6">화성시</td><td colspan="2"></td></tr>
<tr><td>19</td><td colspan="10"></td></tr>
<tr><td>20</td><td colspan="10"></td></tr>
<tr><td rowspan="3">인천</td><td>21</td><td colspan="3">계양구</td><td colspan="2">부평구</td><td colspan="4">남동구</td><td>연수구</td></tr>
<tr><td>22</td><td>연수구</td><td colspan="2">남구</td><td colspan="2">중구</td><td>동구</td><td colspan="4">서구</td></tr>
<tr><td>23</td><td>강화군</td><td>옹진군</td><td colspan="8"></td></tr>
<tr><td rowspan="3">강원</td><td>24</td><td>철원군</td><td>화천군</td><td colspan="3">춘천시</td><td>양구군</td><td>인제군</td><td>고성군</td><td colspan="2">속초시</td></tr>
<tr><td>25</td><td>양양군</td><td>홍천군</td><td>횡성군</td><td>평창군</td><td colspan="3">강릉시</td><td colspan="2">동해시</td><td>삼척시</td></tr>
<tr><td>26</td><td>태백시</td><td>정선군</td><td>영월군</td><td colspan="3">원주시</td><td colspan="4"></td></tr>
<tr><td>세종</td><td>30</td><td colspan="2">세종시</td><td colspan="8"></td></tr>
</table>

충북	27	단양군	제천시	충주시	음성군	진천군	증평군		
	28	괴산군	청주시	보은군					
	29	옥천군	영동군						
충남	31	천안시	아산시	당진시	서산시				
	32	서산시	태안군	홍성군	예산군	공주시	금산군	계룡시	논산시
	33	논산시	부여군	청양군	보령시	서천군			
대전	34	유성구	대덕구	동구	중구				
	35	중구	서구						
경북	36	영주시	봉화군	울진군	영덕군	영양군	안동시	예천군	문경시
	37	문경시	상주시	의성군	청송군	포항시			
	38	경주시	청도군	경산시	영천시				
	39	군위군	구미시	김천시	칠곡군				
	40	성주군	고령군	울릉군					
대구	41	동구	북구	서구	중구				
	42	수성구	남구	달서구	달성군				
	43	달성군							
울산	44	동구	북구	중구	남구	울주군			
	45	울주군							
부산	46	기장군	금정구	북구	강서구	사상구			
	47	사상구	부산진구	연제구	동래구				
	48	해운대구	수영구	남구	동구	중구			
	49	영도구	서구	사하구					
경남	50	함양군	거창군	합천군	창녕군	밀양시	양산시	김해시	
	51	김해시	창원시						
	52	함안군	의령군	산청군	하동군	남해군	사천시	진주시	고성군
	53	통영시	거제시						
전북	54	군산시	김제시	익산시	전주시				
	55	전주시	완주군	진안군	무주군	장수군	남원시	임실군	
	56	순창군	정읍시	부안군	고창군				
전남	57	영광군	함평군	장성군	담양군	곡성군	구례군	광양시	순천시
	58	순천시	화순군	나주시	영암군	무안군	목포시	신안군	진도군
	59	해남군	완도군	강진군	장흥군	보성군	고흥군	여수시	
	60								
광주	61	북구	동구	남구	서구				
	62	서구	광산구						
제주	63	제주시	서귀포시						

※ 서울특별시 강북구의 경우 010 ~ 012

가볍게! 빠르게!
한눈에 보는 중요 용어
시사
용어사전
1200
SEOWONGAK

가볍게! 빠르게!
한눈에 보는 중요 용어
부동산
용어사전

1300

가볍게! 빠르게!
한눈에 보는 중요 용어
경제
용어사전
1030
SEOWONGAK

자격증

한번에 따기 위한 서원각 교재

한 권에 따기 시리즈 / 기출문제 정복하기 시리즈를 통해 자격증 준비하자!